NOTICIARIO:
Primer Nivel

SIGHT READINGS IN SPANISH

Wm. Flint Smith ■ Purdue University

NEWBURY HOUSE PUBLISHERS, Cambridge
A division of Harper & Row, Publishers, Inc.
New York, Philadelphia, San Francisco, Washington
London, Mexico City, São Paulo, Singapore, Sydney

Library of Congress Cataloging in Publication Data

Smith, William Flint.
   Noticiario, primer nivel.

   Includes index.
   1. Spanish language--Readers. I. Title.
PC4117.S58   468.6'421   80-11070
ISBN 0-88377-161-6

Book design by Sally Carson
Cover design and artwork by Herbert Skinner

NEWBURY HOUSE PUBLISHERS
A division of Harper & Row, Publishers, Inc.

Language Science
Language Teaching
Language Learning

CAMBRIDGE, MASSACHUSETTS

Printed in the U.S.A.
63-25187

First printing: March 1981
10

A mi familia

PREFACE

Sight reading is the process by which we approach an unfamiliar reading passage and try to understand it on the basis of our knowledge of the language and the topic. We "sight read" when we scan for details or skim for general information; we "sight read" when we read unfamiliar content word for word or phrase by phrase. Success in reading on sight depends upon the ability to anticipate word order, to recognize vocabulary, and to predict the meaning of unknown words in context.

The Sight Readings and exercises in *Noticiario: Primer Nivel* provide practice in the techniques of the sight reading process—word recognition, inferencing, intelligent guessing, hypothesis testing, confirmation, extrapolation—in short, all of those behaviors and strategies which lead to fluent reading in a second language without the use of a dictionary.

The 56 Sight Readings chosen for *Primer Nivel* reflect a broad spectrum of topics from the world of journalism and advertising. They include writings grounded in psychology, sociology, and political science; biology, geology, and astronomy; agriculture, engineering and business. Some of the readings are synopses of the lives and personalities of famous people. Others reflect short episodes in the everyday life of the man on the street. Some selections present controversial views; others offer a general and lighter content. In all instances, the sources from which the Sight Readings have been extracted represent that large body of material called "Human Interest"—the magazine and newspaper stories which are likely to catch our eye as we flip from page to page or scan the headlines; the wall posters, labels, and advertisements that attract our attention as we walk down the street or through a store.

Both the beginning student of Spanish and the native speaker will find in *Noticiario: Primer Nivel* materials with which to develop reading skills while enjoying authentic and stimulating readings. Two additional volumes of Sight Readings—*Noticiario: Segundo Nivel* and *Noticiario: Tercer Nivel,* each graded to contain progressively more challenging articles—will lead the student to master the skills and strategies for fluent reading of periodical Spanish.

I wish to thank Alan Garfinkel, Channing Blickenstaff and María Victoria Manterola of Purdue University, Frank Medley, Jr., of the University of South Carolina, and Linda L. Nieman of Wappinger Falls, New York for their comments and close reading of the manuscript. Thanks too are given to the several thousand undergraduate students along with over fifty graduate teaching assistants of Spanish at Purdue whose valuable comments and response to the readings over the years have helped shape the content and structure of this text.

A special thanks is offered to Lizette Bisot de Colucci, Joan Yetman, Patricia Rivera, and Mary Wagner, who typed the many drafts of each reading, to Herb Skinner whose illustrations grace these pages, and to Elizabeth Lantz of Newbury House, whose editorial assistance proved invaluable.

October 1980

Wm. Flint Smith
Purdue University

TO THE TEACHER

When to Use Sight Readings

The Sight Readings are designed for many uses and a varied audience: they add to any class by bringing the student closer to the world of newsprint in which Spanish flourishes. They are suitable for both beginning students of Spanish and for native speakers who need help in reading at an elementary level. The Sight Readings can be assigned liberally for independent or group work; they can be read in class or at home. Generally speaking, the articles represent sentences and paragraphs chosen for their reasonable synthesis of a longer writing. The placement of each passage on a single page is designed to appeal to the student's sense of closure; the majority can be completed in ten minutes or less. The Sight Readings in *Primer Nivel* vary from 37 to 256 words; their average length is 110.

The shorter and earlier passages within each of the book's five groups of readings can be assigned soon after the corresponding major grammatical components have been presented in the normal curriculum. Those in Group I, for example, are accessible to most students in the fourth week or earlier. For all students, the Sight Readings serve to reinforce the form, sequence, and function of words, phrases, and tense. Perhaps more importantly, they allow the reader to apply grammatical concepts outside the realm of prescription and drill, and to see their application in a meaningful context.

How to Use Sight Readings

The sight reading process must be introduced carefully by the teacher with special attention to the word recognition clues presented in the *Lección preliminar* (pp. xvii–xx), and the format of the readings and corresponding exercises followed throughout *Primer Nivel*.

Each of the 56 readings is divided into two parts. The first part consists of: 1) word clues (*clave*), 2) the reading selection, 3) vocabulary glosses in the form of word games and definitions, 4) end questions, and 5) a pair of rating scales. The second part of each reading contains related exercises (*Ejercicios*), and will be discussed separately.

Part I: The word clues which accompany each reading present affixes, predictable spelling changes, derivatives, etc. that relate to the vocabulary of the reading. The teacher should add other affixes or roots as appropriate to help the reader see consistencies and relationships in the *claves* from passage to passage. Equally instructive for the reader are the concepts of *word family* and *set* found in the word game and definition portion of each reading, since both form the primary focus of the vocabulary glosses. The teacher can provide practice in recognizing word families by having the student generate examples in his native language (housing: building, house, cabin). The concept of set can be illustrated by providing examples of groups of synonyms and a corresponding antonym: (good, *bad,* superior, favorable). As for the Sight Reading passages themselves, the student *must* be encouraged to infer meaning through logical guessing rather than to resort to a dictionary. Many clues, including the title and the specific words the author has used in the passage, will tap memories and knowledge related to the topic at hand; as a result, the reader will usually find that he brings to the majority of the Sight Readings considerable prior understanding of the thematic content. This knowledge can be exploited, in turn, as a basis to confirm or reject hypotheses that the reader will make about the content of the reading queried in the end questions. Finally, the scales which conclude each reading provide a means for the teacher to interpret the student's affective response, and a basis upon which to decide whether to pursue the Sight Reading from the standpoint of structure or content. Student ratings also provide some guidance with respect to future pairing of readings with categories of interest or grammar assignment.

Part II: The exercises (*Ejercicios*) are made up of three categories of vocabulary building activities, plus a series of questions on the content of the reading. The answers to the vocabulary exercises can be found through a *careful* reading of the *clave,* the title and subtitle, the reading passage, the word glosses, *and* the end questions. The vocabulary exercises require the student to practice:

1) the recognition of words and their derivatives (exercise A)
2) the recall of synonyms, antonyms, and definitions (exercises B, C, and D)
3) divergent thinking (exercise E)

The questions on content (exercises F, G, and H) are designed to help the reader confirm progressively his impressions about what he has read. In essence, the same questions are asked three times, but at increasing levels of difficulty—*cierta/falsa* (exercise F), *responder* (exercise G) and *contestar/debatir* (exercise H). The constructed responses required by the latter are a facile springboard for futher discussion, extemporaneous speech, or composition.

The *Ejercicios* also lend themselves to the development of oral skills in the classroom, either through practice in reading aloud, reflective or directed speech, or as a thematic or structural basis for affective learning or similar activity aimed at helping the student converse in Spanish.

Vocabulary

The vocabulary contained in the Sight Readings is largely unsimplified and is not based upon any frequency list; rather, the readings throughout reflect that large corpus of words upon which all writers draw when describing or reporting from a journalistic point of view. The vocabulary is at once as general and as specific as the topic commands. Only occasionally have words in context been substituted for the purpose of clarification. Those items found to be potential deterrents to understanding have been italicized in the text and are the basis for the word glosses which are an integral part of each Sight Reading. The glosses have been chosen purposefully to reflect cognates of varying degree between Spanish and English so as to help the reader come to recognize and use actively the large and common bond between the two languages. The word games and definitions are designed to challenge the reader to use analysis, synthesis, and evaluation to discern the meaning of a specific word or phrase and, in a larger sense, to understand the message of the selection overall. The multiple-choice format is based upon a variation of the cloze procedure, a strategy well documented in the literature on readability.

Grammar and Difficulty

The grammar throughout *Noticiario: Primer Nivel* is graded largely after the content and sequencing of concepts and tenses in the typical first-year high school and first-semester college curriculum, with one important exception: The present-perfect tense appears prior to the preterite and the imperfect. The high incidence of the present perfect to designate recent past events is striking in common periodical literature, particularly in Spain. That fact, plus the high similarity between its form in Spanish and English (*haber* + -*do* = has, have + -ed) makes the present perfect easy to recognize and accounts for its early placement in *Primer Nivel*.[1] The emphasis in these materials, thus, is upon the *recognition* of the present and present perfect tenses, the *se* passive (also found heavily in journalistic reporting), object pronouns, and prepositional phrases. The preterite and the imperfect are sampled briefly in the later readings. Third-person forms are emphasized throughout. The distribution of the readings by grammar is seen below:

Group	Page	Tense/Grammar
I	1–10	present
II	11–70	adds gerund, *se* passive and verbal phrase
III	71–108	adds present perfect
IV	109–126	adds preterite
V	127–139	adds imperfect

The articles grouped under the same roman numeral reflect a common structure, similar predication, and ordered difficulty. The higher the level and page number, the greater the challenge to the reader to understand the passage at first attempt.

[1]Teachers may wish to instruct students in the meaning and recognition of present-perfect third-person forms, and the derivation of corresponding participles (regular forms) if that tense is not studied in class prior to assigning the readings in Groups III–V.

Appendix A (page 140) permits the reader to choose articles according to individual interest in the humanities, or in the social, physical, or natural sciences. Appendix B (page 141) lists each Sight Reading alphabetically by title along with the total number of words, a brief summary of structural content, and an index of readability. The readability of each Sight Reading has been determined in routine and repeated item analyses, and represents a sum of correct-answer responses to each item expressed on a scale of ten. The higher the index, the easier the reading. Said another way, the closer to ten the overall rating in Appendix B, the greater the number of students who can be expected to respond correctly to the entire exercise.

TO THE STUDENT

About Sight Readings

The passages on the next pages are called Sight Readings. They are based upon the fact that Spanish and English share a large and common historical background through Latin. One result of this common origin is that a native speaker of English can learn to read rather easily much of what is published in Spanish in the popular media—signs and advertisements, newspapers, magazines, and brochures—and in writings of a semi-technical nature, without always consulting a dictionary.

The Sight Readings in *Noticiario: Primer Nivel* are designed to help sharpen your perception of the relationship between Spanish and English and to point out the systematic ways in which you can become an efficient "word detective." The strategy used throughout includes readings and exercises to help you discover and recognize:

1) the occasional expansion (extend—ex*tie*nde), reduction (*cuer*po–corps), or loss (population–población) of vowels
2) the exchange (t⟷d: mu*t*e–mu*d*o) or evolution (ct⟷cc: construction–constru*cc*ión) of consonants
3) various classes of cognates (*fatal, nación, elefante, proteger, aconsejar*)
4) synonyms (*costumbre* = *hábito*) and antonyms (*fácil* ≠ *difícil*)
5) word families (*castillo, fortaleza, edificio*)
6) derivatives (*informar–informe–informante–información*)
7) prefixes (*in*- = no: *in*moral) and suffixes (-*ncia* = efecto: resiste*ncia*)
8) embedded words (en*grande*cer)
9) definitions (*lagarto* = *reptil*)

A preliminary lesson (*Lección preliminar*) on pages xvii–xx will provide you with more examples of the above and an opportunity to develop your skill in recognizing words and their meanings before undertaking the Sight Readings themselves. The strategies illustrated in the *Lección preliminar* are also reflected in the introduction to each reading in the text.

Each Sight Reading is divided into two parts. The first part contains

1) words clues (*clave*) which point out prefixes, suffixes, possible derivatives and spelling changes, synonyms, etc., to help you organize your thoughts,

2) the reading selection, an item adapted from a magazine or newspaper, poster or advertisement,
3) word games based upon synonyms, antonyms, and definitions which clarify new or disguised vocabulary,
4) one or two questions of a general nature with which you can check your comprehension of the passage,
5) a pair of scales on which to rate your perception of the reading overall.

The second part consists of the exercises (*Ejercicios*) which are designed to:

1) sharpen your perception of words and their meanings,
2) highlight specific information from the reading passage which may serve as a basis for discussion about its content.

The answers to the word games and definitions are found through a careful reading of the Sight Reading passage and close attention to what you already know about the systematic nature of language. The answers to the *Ejercicios* are found within each reading passage *and* its word games and definitions. You should consult them liberally to complete each one of the exercises.

Reading Fluently

Practice in reading Spanish leads to increased fluency and comprehension particularly when you become adept at seeing word clues, word relationships, and word origins. The best way to learn to read fluently is to practice many Sight Readings at the same level—*without a dictionary.* In doing so you will develop an expectancy for symbol and form in vocabulary and acquire a recognition of the redundancies which are peculiar to Spanish but can be found in any language. This knowledge will enable you to guess intelligently about the meaning of what you read. In many ways, fluent reading—like learning a second language—is a key to another world. Read and enjoy!

TABLE OF CONTENTS

GROUP III: PRESENT PERFECT

PRELIMINARY LESSON

Word-Clue Strategies

The exercises which follow give practice in word detection and deciphering meaning. They are designed to help underscore the large and common origins of Spanish and English. Attention to the rather consistent ways in which sounds and their symbols interact between the two languages provides clues for the recognition of vocabulary in context and a basis for intelligent guessing as to message.

These preliminary exercises, thus, relate to the sight readings which follow, in several ways:

1) They illustrate the types of word clues (*clave*) which are found at the head of each reading selection.
2) They suggest strategies one can use to reveal relationships between words and their referents in the "game" portion of each exercise.
3) They underscore the similarity in form and meaning between Spanish and English language vocabulary.

I. Vowel change (**cambio de vocal**). Write the English equivalent.

A. Expansion/Reduction (**expansión/reducción**): e↔ie, o↔ue

1.	extiende	6.	cuesta
2.	desierto	7.	recomiendo
3.	puerto	8.	serpiente
4.	mueve	9.	cuerda
5.	prefiere	10.	miembro

B. Loss (**omisión**): -e, e-

1.	límite	6.	estéreo
2.	presente	7.	especial
3.	reciente	8.	estúpido
4.	frecuente	9.	espléndido
5.	potente	10.	específico

C. Exchange (**cambio**): i↔y

1. análisis
2. símbolo
3. bicicleta
4. misterio
5. psicología

II. Consonant change (**cambio de consonante**). Write the English equivalent.

A. c↔t
1. nación
2. porción
3. amplificación
4. ración
5. función

B. d↔t
1. mudo
2. senador
3. espectador
4. moderado
5. estadística

C. f↔ph
1. foto
2. teléfono
3. sulfato
4. euforia
5. triunfo

D. j↔x
1. complejo
2. ejercicio
3. lujo
4. ejemplo
5. reflejo

E. b↔v
1. percibir
2. gobierno
3. prueba
4. pobreza
5. automóvil

F. cc↔ct
1. destrucción
2. construcción
3. elección
4. selección
5. protección

G. c↔z
1. cebra
2. cero
3. lanza
4. traza
5. cinc

H. Loss (**omisión**): g̸, c̸, h̸, b̸.
1. aumentar –
2. objeto –
3. obscuro –
4. técnica –
5. anormal –

III. Cognates (**cognados**). Write the English equivalent.

1. fatal
2. formidable
3. responsable
4. excelente
5. sistema

6. ordinario
7. noviembre
8. aparato
9. estímulo
10. contra

IV. Synonyms (**sinónimos**) and antonyms (**antónimos**). Write the English equivalent.

1. excelente = f __ ntástico
2. gente = p __ rsona
3. común = __ sual
4. costumbre = háb __ to
5. palabra = voc __ blo

1. máximo = mín __ mo
2. positivo = neg __ tivo
3. auténtico = f __ lso
4. simple = c __ mplejo
5. amigo = enem __ go

V. Family (**familia**). Eliminate one from each set.

1. edificio / hotel / transporte / rancho
2. tren / río / carro / coche
3. clase / profesor / estudiante / alumno
4. calmar / excitar / tranquilizar / pacificar
5. finalizar / terminar / concluir / iniciar
6. bomba / rifle / pistola / cañón
7. efecto / resultado / consecuencia / causa
8. diferente / distinto / diverso / igual
9. planta / planeta / asteroide / cometa
10. huracán / celebración / desastre / tormenta

VI. Derivatives (**derivados**). Complete the set.

1. arte / _____ -ístico / _____ -ista

2. imagen / _____ -inar / _____ -ación

3. habita / _____ -itar / _____ -tante

4. origen / _____ -inar / _____ -al

5. vista / _____ -ual / _____ -ión

VII. Affixation (**afijo**). Write the English equivalents.

A. Prefix (**prefijo**):
1. re- = repeat: revolver
2. a- = not: anormal
3. co- = with: cooperación
4. in- = no: innecesario
5. des- = un-: desasociación

B. Suffix (**sufijo**):
1. -mente = -ly: generalmente
2. -dad = -ty: universidad
3. -ología = -gy: biología
4. -ncia = -nce: tolerancia
5. -do = -ed: formado
6. -ero = person: pasajero
7. -ismo = doctrine: comunismo
8. -ndo = -ing: observando

VIII. Embedded word (**raíz**). Underline the root.

1. engrandecer
2. transportación
3. descentralización
4. prolongar
5. amenazar
6. contemporáneo
7. repartido
8. abandono
9. universalidad
10. arrestar

IX. Definition (**definición**). Complete the set.

1. presidente = l _́_ der
2. rosa = fl __ r
3. capitán = mil __ tar
4. autobús = veh _́_ culo
5. bomba = __ rma
6. 1 milla = 1.6 kil _́_ metro
7. 1 kilo = 1000 gr __ mos = 2.2 l __ bras
8. 1 hora = 60 s __ gundos
9. 1 semana = 7 d _́_ as
10. 1 año = 12 mese __

NOTICIARIO

GROUP I: Present tense

Pages 1–9

Clave

Derivado: vocablo – vocabulario
                imaginar – imagen – imaginación
                transportar – transporte – transportación
Sufijo: -ero = persona: pasar – pasaje – pasajero
             -aje = acto de: viajar – viaje – viajero
Expansión: o ⟷ ue: costar – cuesta
Sinónimo: confortable = cómodo
Gramática: a + el = al

EL TREN
Transportación rápida y económica

    El tren. Es una *palabra (1)* que *vale (2)* muchas imágenes. Es rápido, es confortable. Transporta más *viajeros (3)* y *mercancías (4)* que todos los otros *medios (5)* de transporte, y contamina menos, decididamente menos. Ocupa menos espacio y economiza energía. El tren es *cada día (6)* más moderno y necesario. Es transportación al servicio de la comunidad en los viajes de negocios y en las vacaciones.
    ¿Por qué no viaja su familia en tren con el resto del mundo?

Blanco y Negro

1. palabra
  a. expresión
  b. vocablo
  c. término
  d. a, b y c

2. vale
  a. termina
  b. finaliza
  c. presenta
  d. concluye

3. viajeros
  a. coches
  b. pasajeros
  c. carros
  d. vehículos

4. mercancías
  a. productos
  b. elefantes
  c. gorilas
  d. rinocerontes

5. otros medios de transporte – por ejemplo . . .
  a. una serpiente
  b. un avión
  c. un tigre
  d. un cocodrilo

6. cada día
  a. un día sí, otro no
  b. algunos días
  c. todos los días
  d. siete días

7. ¿Cúal es el tema de este anuncio?
  a. Visitas al zoológico.
  b. Viajar con calma.
  c. Remediar la polución.
  d. Un sitio para vacacionistas.

8. ¿Cuáles son los beneficios del tren, según el artículo?
  a. Es eficiente y cómodo.
  b. Es contemporáneo y no cuesta mucho.
  c. Es fácil de usar.
  d. a, b y c

Indicar la dificultad: fácil----A B C D E----difícil
Indicar su interés en el tema: interesante----A B C D E----no interesante

EJERCICIOS

A. Completar de memoria:
1. tr __ n
2. pal __ bra
3. im __ gen
4. r __́ pido
5. tran __ porte
6. __ spacio
7. ener __ ía
8. nece __ ario
9. s __ rvicio
10. neg __ cio

B. Cambiar a infinitivos:
1. vale
2. economiza
3. transporta
4. contamina
5. ocupa

a substantivos:
1. imaginar
2. transportar
3. servir
4. viajar
5. negociar

C. Indicar sinónimos:
1. vocablo
2. pasajero
3. contaminación
4. confortable
5. comercio

Antónimos:
1. difícil
2. poco
3. menos
4. antiguo
5. innecesario

D. Eliminar uno:
1. expresión / término / carro
2. avión / pasajero / viajero
3. transportar / costar /mover
4. fácil / eficiente / rápido
5. usar / buscar / ocupar

E. Escribir una lista de palabras relacionadas con:
1. "La transportación"
2. "Las ventajas del tren"

F. Contestar cierta o falsa:
1. El tren es incómodo.
2. Transporta pasajeros y mercancías.
3. Contamina más que otros medios de transporte.
4. Usa mucha energía.
5. El tren está al servicio de la comunidad.

G. Responder:
1. ¿Es cómodo o incómodo el tren?
2. ¿Transporta viajeros o mercancías, o los dos?
3. ¿Contamina el tren más o menos que otros transportes?
4. ¿Usa mucha o relativamente poca energía?
5. ¿Es el tren para una persona o para toda la comunidad?

H. Contestar/discutir:
1. ¿Cómo es viajar en tren?
2. ¿Qué transporta?
3. ¿Cuáles son las ventajas de viajar en tren?
4. ¿Para qué o para quién es el tren?
5. ¿Cuándo viaja Vd. en tren?

3

Clave

Derivado: habitar – habita – habitante
Sufijo: -nte = persona: visitar – visita – visitante
Sinónimo: lugar = sitio

PARQUE ZOOLOGICO
Animales y turistas

Una *empresa (1)* tiene en España un gran parque zoológico en que 250 animales de la fauna africana viven en *plena (2)* libertad. Este lugar constituye *actualmente (3)* un centro de atracción turística. El turista *recorre (4)* el parque en unos automóviles que están pintados de diferentes formas y que imitan *la piel (5)* de los animales. Los colores *tranquilizan (6)* a los animales que ahora están acostumbrados a ver muchos visitantes en el parque todos los días.

Siempre

1. una empresa
 a. una compañía
 b. una casa comercial
 c. un negocio
 d. a, b y c

2. plena libertad
 a. limitada
 b. completa
 c. controlada
 d. esforzada

3. actualmente
 a. en estos días
 b. hoy
 c. en el presente
 d. a, b y c

4. recorre el parque
 a. visita
 b. ve
 c. pasa por
 d. a, b y c

5. la piel
 a. el color de la superficie
 b. la apariencia exterior
 c. la epidermis
 d. a, b y c

6. tranquilizan
 a. calman
 b. inquietan
 c. preocupan
 d. agitan

7. ¿Qué es una cebra?
 a. Un zoológico.
 b. Un insecto.
 c. Un turista.
 d. Un animal.

8. ¿Por qué están tranquilos los animales?
 a. Porque creen que los turistas son africanos.
 b. Porque creen que las bestias son coches también.
 c. Porque creen que los animales son el centro de atracción.
 d. Porque creen que los visitantes viven en el parque.

9. ¿Cuál de éstos no es un ejemplo de la fauna africana?
 a. El león.
 b. La cebra.
 c. El elefante.
 d. La rosa.

10. ¿Cómo es la vida de los animales en el parque?
 a. Muy inquieta y agitada a causa del turismo.
 b. Hay poco movimiento porque viven en espacios limitados.
 c. Es tranquila y agradable porque tienen más o menos la misma libertad que en Africa.
 d. A los animales no les gustan los coches.

Indicar la dificultad: fácil----A B C D E----difícil
Indicar su interés en el tema: interesante----A B C D E----no interesante

EJERCICIOS

A. Completar de memoria:
1. e __ presa
2. parq __ e
3. __ nimal
4. l __ bertad
5. dif __ rente

6. c __ lor
7. a __ ora
8. atra __ __ ión
9. l __ gar
10. visit __ nte

B. Cambiar a infinitivos:
1. tiene
2. viven
3. tranquiliza
4. recorre
5. van

a substantivos:
1. liberar
2. atraer
3. formar
4. visitar
5. negociar

C. Indicar sinónimos:
1. comercio
2. completo
3. en el presente
4. epidermis
5. calmar

Antónimos:
1. superficie
2. tranquila
3. quieta
4. diferente

D. Definir:
_____ fauna

_____ zoológico

_____ lugar

_____ turista

_____ animal

1. parque
2. visitante
3. apariencia
4. insecto
5. sitio
6. animales
7. cebra

E. Escribir una lista de nombres de:
1. animales
2. sitios

F. Contestar cierta o falsa:
1. Hay un zoológico en Africa.
2. Los animales viven capturados.
3. Los animales recorren el parque en automóviles.
4. Los coches están pintados como los animales.
5. Los animales no están acostumbrados a ver muchos visitantes.

G. Responder:
1. ¿Hay un centro de turismo o de comunismo en España?
2. ¿Los animales viven capturados o en libertad?
3. ¿Los turistas o los animales recorren el parque en automóviles?
4. ¿Los visitantes o los coches están pintados como los animales?
5. ¿Están tranquilos los animales o son agitados por los turistas?

H. Contestar/discutir:
1. ¿Qué se encuentra en España?
2. ¿Cómo viven los animales?
3. ¿Cómo visitan los turistas el parque?
4. ¿Por qué son curiosos los automóviles?
5. ¿Por qué están tranquilos los animales?

Clave

Derivado: gobernar – gobierno – gobernador
Sufijo: -nte = persona: habitar – habita – habitante
Cambio: x ←→ j: ejemplo

EL PALACIO REAL
Importante centro histórico y cultural

Madrid, la capital de España, es mucho más que una gran ciudad. Funciona como el centro de la industria, del gobierno, y de la economía. También la ciudad contiene muchas atracciones culturales para los muchos turistas que visitan sus calles cada año. Uno de los sitios más interesantes es el Palacio Real.

El Palacio es un edificio enorme; tiene más de 2000 habitaciones y ocupa un terreno *casi (1)* en el centro de la ciudad. El Palacio Real es importante en la política de España. *Allí (2)* el gobierno recibe a los embajadores y otros oficiales políticos de las otras naciones del mundo. También, el Palacio es un museo con muchas habitaciones interesantes: la Real Armería, el Dormitorio Real, etc. Hay *tesoros (3)* de oro y plata, *joyas (4),* pinturas y tapices. El Palacio es un ejemplo magnífico de los grandes momentos en la historia del país.

La Luz

1. casi
   a. completamente
   b. totalmente
   c. más o menos
   d. absolutamente

2. Allí
   a. En España
   b. En Madrid
   c. En el Palacio
   d. En Europa

3. tesoros
   a. cosas exquisitas
   b. fortunas
   c. de mucho valor
   d. a, b y c

4. joyas – por ejemplo...
   a. cobre y cinc
   b. diamantes y rubíes
   c. carbón y aluminio
   d. sulfatos y calcio

5. ¿Qué se aprende en este artículo?
   a. El Palacio Real es pequeño e insignificante.
   b. Está prohibido visitar el Palacio y sus museos.
   c. El Palacio es una fábrica de objetos de arte.
   d. El Palacio ofrece múltiples intereses para el visitante.

Indicar la dificultad: fácil----A B C D E----difícil
Indicar su interés en el tema: interesante----A B C D E----no interesante

EJERCICIOS

A. Completar de memoria:

1. c __ pital
2. mu __ __ o
3. cent __ o
4. industr __ a
5. go __ ierno

6. siti __
7. __ dificio
8. te __ __ eno
9. __ mbajador
10. o __ icial

B. Cambiar a infinitivos:

1. funciona
2. contiene
3. visitan
4. ocupa
5. recibe

a substantivos:

1. centrar
2. gobernar
3. atraer
4. edificar
5. habitar

a derivados en -mente:

1. total
2. universal
3. importante
4. absoluto
5. completo

C. Indicar sinónimos:

1. más o menos
2. totalmente
3. fortuna
4. centro
5. exquisito

Antónimos:

1. pequeño
2. insignificante
3. permitido
4. poco
5. recibir

Correspondencia:

1. -j-
2. -ía
3. -mente
4. -dad
5. -cc

D. Eliminar uno:

1. cobre / cine / museo
2. tesoro / joya / gobierno
3. centro / habitación / dormitorio
4. turista / oficial / embajador
5. regular / normal / exquisito

E. Indicar el género de los substantivos en B, con: el, la, los, las

F. Contestar cierta o falsa:

1. Madrid es un centro de turismo.
2. Hay pocas atracciones culturales en la ciudad.
3. El Palacio Real es un edificio pequeño.
4. El Palacio Real es un centro de recreo.
5. El Palacio tiene un tesoro de joyas y de arte.

G. Responder:

1. ¿Es Madrid más un centro de turismo o de la industria y gobierno de España?
2. ¿Hay muchas o pocas atracciones culturales en la ciudad?
3. ¿Es pequeño o enorme el Palacio Real?
4. ¿Es importante el Palacio en la política o en el recreo del país?
5. ¿Tiene el Palacio muchos tesoros o muchas calles?

H. Contestar/discutir:

1. ¿Dónde está el centro del gobierno en España?
2. ¿Qué hay para el turista?
3. ¿Cómo es el Palacio Real?
4. ¿Por qué es importante el Palacio en la política?
5. ¿Qué se encuentra en este edificio?

Clave

Cambio: -ty = -dad: sociedad

-ly = -mente: relativamente

Derivado: tratar – tratamiento

Antónimo: igual ≠ diferente

LA ULCERA
La contribución de la tensión

La úlcera es una de las *enfermedades (1)* más comunes del hombre, pero después de muchos años de estudio, sus causas son un misterio.

Se dice que, en general, la úlcera en sus varias formas es una enfermedad de la civilización y de las presiones de la sociedad moderna. Hay evidencia a favor de este argumento: en unas comunidades primitivas de los negros de Africa, la úlcera es relativamente rara. Al contrario, en los EEUU, entre los negros americanos que viven en áreas urbanas, *su (2)* frecuencia es tan alta como en los individuos de la raza blanca. La úlcera se encuentra raramente entre los indios americanos pero es relativamente común entre los chinos. En todos los casos, la tensión nerviosa crónica favorece la aparición de las úlceras. La tensión *aumenta (3)* la secreción gástrica en toda la gente. El tratamiento médico continúa igual hoy que en el pasado: dietas especiales y medicinas que combaten el excesivo ácido producido en el *estómago (4).*

Blanco y Negro

1. enfermedades
a. desórdenes
b. irregularidades
c. anormalidades
d. a, b y c

2. su frecuencia –
se refiere a . . .
a. los negros
b. la úlcera
c. Africa
d. la medicina

3. aumenta
a. incrementa
b. decrece
c. minimiza
d. reduce

4. estómago – órgano de . . .
a. la reproducción
b. la respiración
c. la digestión
d. la circulación

5. ¿Qué se aprende en este artículo?
a. La úlcera es frecuente en mucha de la población del mundo.
b. Hay más casos de úlceras en las sociedades dinámicas que en las sociedades donde la vida es más o menos pacífica.
c. La úlcera no se limita a una gente ni a una raza, es general en todas.
d. a, b y c

Indicar la dificultad: fácil----A B C D E----difícil
Indicar su interés en el tema: interesante----A B C D E----no interesante

EJERCICIOS

A. Completar de memoria:
1. _́ lcera
2. com _́ n
3. h __ mbre
4. __ studio
5. m __ sterio
6. pre __ ión
7. socied __ d
8. argument __
9. n __ gro
10. individu __

B. Cambiar a infinitivos:
1. causa
2. favorece
3. forma
4. aumenta
5. encuentra

a substantivos:
1. ulcerar
2. enfermar
3. civilizar
4. aparecer
5. tratar

a derivados en -ión:
1. reproducir
2. respirar
3. circular
4. poblar
5. civilizar

C. Indicar sinónimos:
1. investigación
2. anormalidad
3. presión
4. incrementar
5. tratamiento

Antónimos:
1. raro
2. antiguo
3. blanco
4. moderno
5. reducir

D. Eliminar uno:
1. úlcera / estómago / urbano
2. decrecer / aumentar / minimizar
3. tensión / secreción / presión
4. poco / mucho / excesivo
5. frecuente / común / raro

E. Escribir una lista de palabras relacionadas con:
1. "La úlcera"
2. "El tratamiento"

F. Contestar cierta o falsa:
1. La úlcera es rara en el hombre.
2. Es una enfermedad de la sociedad moderna.
3. Los negros que viven en comunidades primitivas de Africa sufren mucho de las úlceras.
4. La úlcera es rara entre los indios americanos.
5. La tensión favorece la cura de la úlcera.

G. Responder:
1. ¿La úlcera se limita a los animales o es común en los hombres?
2. ¿Es una enfermedad causada por la sociedad moderna o antigua?
3. ¿Tienen más úlceras los negros africanos o los negros americanos?
4. ¿Es rara o es común la úlcera entre los indios americanos?
5. ¿La tensión favorece la aparición o la cura de la úlcera?

H. Contestar/discutir:
1. ¿Dónde ocurren las úlceras en la sociedad?
2. ¿Quiénes sufren de úlceras?
3. ¿Qué causa la úlcera en el hombre?
4. ¿Cómo se curan las úlceras?
5. ¿Quién tiene una úlcera en su familia? ¿Alguien o nadie?

GROUP II: Adds Verbal Phrase, Gerund

Pages 12–70

Clave

Derivado: alimentar – alimento – alimentación
Cambio: z ←→ c: cero, cebra, venganza, amenaza
Sinónimo: falta = ausencia

LA COMIDA DEL FUTURO
Un substituto en la nutrición

Un especialista británico dice que la **carne (1)** de hipopótamo, jirafa, y antílope contiene la suficiente cantidad de proteína para **alimentar (2)** a un hombre. En combinación con otros productos artificiales puede ser una excelente manera de substituir la carne de vaca. Estas carnes pueden ser la solución a la **amenaza (3)** de la falta de suficiente alimentación en el futuro.

Ya

1. carne – por ejemplo . . .
   a. hamburguesa
   b. bistec
   c. rosbif
   d. a, b y c

2. alimentar –dar de . . .
   a. comer
   b. aprender
   c. leer
   d. escribir

3. amenaza
   a. perfección
   b. beneficio
   c. peligro
   d. excelencia

4. ¿De qué trata este artículo?
   a. Algunas maneras de controlar la vida de algunos animales no domesticados.
   b. La solución a la excesiva población del mundo occidental.
   c. Algunas posibilidades nutritivas para la especie humana.
   d. La superabundancia de productos vegetales necesarios para mantener un zoológico.

5. ¿Cuál de las siguientes clases de carne puede comerse?
   a. La del hipopótamo.
   b. La de la jirafa.
   c. La del antílope.
   d. a, b y c

Indicar la dificultad: fácil----A   B   C   D   E----difícil
Indicar su interés en el tema: interesante----A   B   C   D   E----no interesante

EJERCICIOS

A. Completar de memoria:

1. __ specialista
2. hip __ pótamo
3. __ irafa
4. __ antidad
5. h __ mbre
6. pr __ ducto
7. e __ celente
8. v __ ca
9. s __ lución
10. f __ turo

B. Cambiar a infinitivos:

1. contiene
2. puede
3. amenaza
4. falta
5. trata

a substantivos:

1. especializar
2. combinar
3. producir
4. solucionar
5. alimentar

C. Indicar sinónimos:

1. rosbif
2. dar de comer
3. peligro
4. sintético
5. especie humana

Antónimos:

1. insuficiente
2. natural
3. pasado
4. oriental
5. innecesario

Correspondencia:

1. -dad
2. -z-
3. -ción
4. -ista

D. Eliminar uno:

1. vaca / jirafa / antílope
2. peligro / beneficio / amenaza
3. bueno / negativo / positivo
4. leer / aprender / alimentar
5. este / oriente / occidente

E. Escribir una lista de:

1. animales (4)
2. carnes (3)
3. verbos en infinitivo (3)
4. demostrativos (1)
5. substantivos femeninos (8)

F. Contestar cierta o falsa:

1. El hombre puede comer la carne de hipopótamo.
2. La carne de jirafa no tiene mucha proteína.
3. La carne de algunos animales africanos puede substituir la carne de vaca.
4. La carne de antílope es una substancia artificial.
5. La insuficiente alimentación del futuro puede solucionarse con la carne de otros animales.

G. Responder:

1. ¿El hombre puede o no puede comer la carne de hipopótamo?
2. ¿La carne de jirafa contiene o no contiene mucha proteína?
3. ¿La carne de algunos animales sudamericanos o africanos puede substituir la carne de vaca?
4. ¿La carne de antílope es una substancia natural o artificial?
5. ¿La alimentación del futuro o la del pasado puede solucionarse con la carne de otros animales?

H. Contestar/discutir:

1. Diga algo sobre la carne de hipopótamo.
2. ¿En qué es similar la carne de hipopótamo y la de jirafa?
3. ¿Qué carne puede substituir la de estos animales?
4. ¿Qué pueden solucionar estas carnes?
5. ¿Come Vd. carne de vaca? ¿de jirafa? ¿de serpiente? ¿Cómo es?

Clave

Derivado: habitar – habitante
impresionar – impresión – impresionante
sobre + vivir = sobrevivir

Expansión: o ⟷ ue: corpulento – cuerpo
Antónimo: alto ≠ bajo
Equivalencia: 1 kilo = 2.2 libras

EL GORILA
Finalmente protegido

El gorila del Congo, el más grande de la especie que *habita (1)* las montañas de esa nación africana, se encuentra en las altas selvas orientales del país. Su aspecto es impresionante por su gigantesca corpulencia: un adulto puede llegar a 300 kilos. El *"rey" (2)* de la selva virgen sobrevive a la *caza (3)* indiscriminada del hombre gracias a las dificultades naturales de *su medio ambiente (4)* y a la protección del animal dictada por el gobierno en estos últimos años.

Blanco y Negro

1. habita
   a. sale de
   b. vive en
   c. entra en
   d. sube a

2. rey
   a. alumno
   b. aprendiz
   c. emperador
   d. estudiante

3. caza
   a. tormento
   b. persecución
   c. exterminación
   d. a, b y c

4. su medio ambiente
   a. la región
   b. la escuela
   c. el edificio
   d. la fábrica

5. ¿Qué se aprende en este artículo?
   a. El gorila causa muchas dificultades al hombre.
   b. El hombre ahora trata de mantener al gorila en su estado natural.
   c. El monarca de la selva en realidad es el león.
   d. Se encuentran gorilas en los desiertos y otros lugares donde hay poca vegetación.

Indicar la dificultad: fácil----A   B   C   D   E----difícil
Indicar su interés en el tema: interesante----A   B   C   D   E----no interesante

EJERCICIOS

A. Completar de memoria:

1. g __ rila
2. __ specie
3. monta __ a
4. s __ lva
5. aspect __

6. gi __ ante
7. ad __ lto
8. k __ lo
9. __ ombre
10. prote __ __ ión

B. Cambiar a infinitivos:

1. habita
2. encuentra
3. puede
4. sobrevive
5. entra

a substantivos:

1. cazar
2. ambientar
3. proteger
4. gobernar
5. reinar

C. Indicar sinónimos:

1. vivir
2. emperador
3. este
4. estudiante
5. exterminar

Antónimos:

1. pequeño
2. occidental
3. desierto
4. protección
5. salir

D. Eliminar uno:

1. monarca / rey / discípulo
2. virgen / profanado / inocente
3. medio ambiente / aspecto / selva
4. león / gorila / selva
5. gigantesco / corpulento / último

E. Escribir una lista de palabras relacionadas con:

1. "El gorila"
2. "La naturaleza"

F. Contestar cierta o falsa:

1. El gorila del Congo es impresionante.
2. Vive principalmente en el terreno más bajo del país.
3. Es un animal gigantesco.
4. Su principal enemigo es el hombre.
5. Ahora, tiene la protección del gobierno.

G. Responder:

1. ¿Es impresionante o no el aspecto del gorila del Congo?
2. ¿Vive en las montañas o en el desierto?
3. ¿Es pequeño o gigantesco?
4. ¿Su enemigo principal es el hombre o el león?
5. ¿Tiene la protección del gobierno o de la vegetación?

H. Contestar/discutir:

1. ¿Cómo es el gorila del Congo?
2. ¿Dónde vive?
3. ¿Quién es su principal enemigo?
4. ¿Quién ofrece protección a este animal?
5. ¿Cuál es más feroz, un gorila o un león?

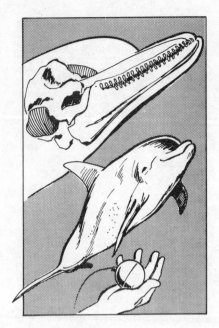

Clave

Derivado: amaestrar – amaestrado – maestro
Sufijo: -miento = acto de: entrenar – entrenamiento
Equivalencia: 1 kilo = 2.2 libras
                1 pulgada = 2.54 centímetros
                1 milla = 1.6 kilómetros
Antónimo: dentro de ≠ fuera de

LOS DELFINES
Acróbatas del océano

Los *delfines (1)* son interesantes y curiosos; también son universales. Viven hasta 25 años. Resisten fuera del agua treinta y ocho horas consecutivas. Cuando son adultos su *peso (2)* es más o menos de 150 kilos. Tienen 88 dientes. Después de los dos años de edad pueden ser *amaestrados (3)* y *al cabo de (4)* ocho meses de entrenamiento son capaces de realizar piruetas y otras acrobacias de circo. ¡No son *torpes (5)* estos simpáticos animales!

Blanco y Negro

1. delfín
  a. mamífero grande
  b. vive en todos
     los océanos
  c. amigo de los hombres
  d. a, b y c

2. peso
  a. masa
  b. latitud
  c. circunferencia
  d. longitud

3. amaestrados
  a. pintados
  b. educados
  c. distinguidos
  d. destruidos

4. al cabo de
  a. anterior a
  b. antes de
  c. después de
  d. al comienzo de

5. No son torpes – tienen . . .
  a. habilidad
  b. inteligencia
  c. comprensión
  d. a, b y c

6. Este artículo principalmente es . . .
  a. trágico
  b. cómico
  c. crítico
  d. objetivo

7. ¿Qué se aprende de los delfines?
  a. Tienen gran capacidad para aprender.
  b. Les gusta divertir a la gente.
  c. No son enemigos del hombre.
  d. a, b y c

8. ¿Cuál de las siguientes formas pertenece a un delfín?

a.   b.   c.   d.

Indicar la dificultad: fácil----A B C D E----difícil
Indicar su interés en el tema: interesante----A B C D E----no interesante

EJERCICIOS

A. Completar de memoria:
1. d __ lfín
2. curio __ o
3. __ niversal
4. h __ ra
5. ad __ lto
6. kil __
7. di __ nte
8. m __ s
9. real __ zar
10. s __ mpático

B. Cambiar a infinitivos:
1. son
2. viven
3. resisten
4. oscila
5. tienen

a substantivos:
1. pesar
2. dentar
3. entrenar
4. amaestrar
5. jugar

C. Indicar sinónimos:
1. masa
2. educar
3. al final de
4. inteligencia
5. océano

Antónimos:
1. amigo
2. torpe
3. posterior
4. antes de
5. al comienzo de

D. Eliminar uno:
1. peso / kilo / habilidad
2. edad / años / capacidad
3. resistir / amaestrar / entrenar
4. oscilar / variar / resistir
5. agua / océano / circo

E. Escribir una lista de:
1. números (6)
2. verbos en infinitivos (2)
3. substantivos en -miento (1)
4. substantivos de tiempo (2)

F. Contestar cierta o falsa:
1. El delfín es un mamífero.
2. Solamente se encuentran en el océano Pacífico.
3. Pueden vivir más de dos días fuera del agua.
4. Son fáciles de entrenar.
5. Son torpes.

G. Responder:
1. ¿El delfín es mamífero o reptil?
2. ¿Se encuentran en solamente uno o en todos los océanos?
3. ¿Pueden resistir muchos o pocos días fuera del agua?
4. ¿Son fáciles o difíciles de amaestrar?
5. ¿Son torpes o inteligentes?

H. Contestar/discutir:
1. ¿Qué es un delfín?
2. ¿Dónde viven?
3. ¿Cómo son?
4. ¿Dónde se pueden encontrar fuera del océano?
5. ¿Le gusta ir al circo? ¿Le gustan más los acróbatas o los animales?

Clave

Derivado: estimular – estímulo – estimulante
comprender – comprensión
publicar – publicado – publicación

EL READER'S DIGEST
Publicación popular

El Reader's Digest es una revista en 13 *idiomas (1)* y publicada en 170 naciones y territorios. Tiene como propósito, en *cada uno (2)* de sus números, el *estimular (3)* las ideas, nutrir el espíritu y *animar (4)* la fantasía de la gente para *descubrir (5)* sus posibles talentos. La publicación intenta facilitar la comprensión y *ayudar (6)* a aprender a amar y a *soñar (7)*. Estas son *virtudes (8)* que dan al Digest su personalidad *singular (9)*.

Blanco y Negro

1. idiomas – por ejemplo...
  a. el español
  b. el inglés
  c. el francés
  d. a, b y c

2. cada uno
  a. varios
  b. tres
  c. cinco
  d. todos

3. el estimular
  a. provocar
  b. excitar
  c. causar
  d. a, b y c

4. animar la fantasía
  a. comprender la tarea
  b. escribir algo importante
  c. evocar la imaginación
  d. estudiar la política

5. descubrir
  a. encontrar
  b. clarificar
  c. detectar
  d. a, b y c

6. ayudar
  a. fragmentar
  b. asistir
  c. dividir
  d. separar

7. soñar – usar...
  a. la guitarra
  b. la trompeta
  c. la imaginación
  d. la flauta

8. virtud – una cualidad...
  a. buena
  b. mala
  c. terrible
  d. no aceptable

9. su personalidad singular
  a. literaria
  b. erudita
  c. múltiple
  d. excepcional

10. ¿Qué se aprende en este artículo?
  a. El Reader's Digest se publica cada dos meses: enero, marzo, mayo, julio, septiembre, y noviembre.
  b. Hay un gran número de personas que leen la revista en muchos países.
  c. El Reader's Digest es una publicación principalmente escolar para estudiantes de lenguas extranjeras.
  d. La mayoría de los artículos no son interesantes ni pertinentes.

Indicar la dificultad: fácil----A B C D E----difícil
Indicar su interés en el tema: interesante----A B C D E----no interesante

EJERCICIOS

A. Completar de memoria:

1. r __ vista
2. __ dioma
3. te __ __ itorio
4. núm __ ro
5. ide __

6. fantas __ a
7. po __ ible
8. tal __ nto
9. compr __ nsión
10. am __ r

B. Cambiar a infinitivos:

1. tiene
2. intenta
3. público
4. leen
5. facilita

a substantivos:

1. rever
2. proponer
3. publicar
4. comprender
5. imaginar

C. Indicar sinónimos:

1. lengua
2. imaginación
3. excitar
4. encontrar
5. asistir

Antónimos:

1. imposible
2. bueno
3. múltiple
4. dificultar
5. escolástica

D. Eliminar uno:

1. flauta / virtud / trompeta
2. idioma / lengua / idea
3. espíritu / personalidad / revista
4. nutrir / animar / detectar
5. francés / territorio / español

E. Escribir una lista de:

1. verbos en infinitivo (9)
2. lenguas (3)
3. adjetivos (4)
4. posesivos (1)
5. substantivos femeninos (8)

F. Contestar cierta o falsa:

1. Se publica el Reader's Digest en varios idiomas.
2. El propósito de la publicación es controlar las ideas.
3. El Reader's Digest quiere descubrir los talentos de sus lectores.
4. Es una revista principalmente escolástica.
5. La revista tiene una personalidad singular.

G. Responder:

1. ¿Se publica la revista en una o en varias lenguas?
2. ¿La publicación intenta controlar o estimular las ideas?
3. ¿La revista quiere descubrir los talentos o las virtudes de sus lectores?
4. ¿El Reader's Digest es principalmente una revista popular o escolar?
5. ¿Tiene la revista una personalidad múltiple o singular?

H. Contestar/discutir:

1. ¿En cuántos idiomas se publica el Reader's Digest?
2. ¿Cuál es el propósito de la publicación?
3. ¿Para quién es la revista, principalmente?
4. ¿Qué personalidad tiene la revista?
5. ¿Lee Vd. el Reader's Digest? ¿Qué piensa Vd. de la revista?

Clave

Prefijo: des- = contrario: atar – desatar
             in- = no: inofensivo, inocuo
             -illo = pequeño: animal – animalillo
Antónimo: nocivo ≠ inocuo
Expansión: o ↔ ue: morir – mortal – muerte

EL ALCOHOL
El problema de su uso y abuso

El alcohol en pequeñas cantidades produce una *ligera (1)* euforia. En grandes cantidades *desata (2)* inhibiciones y emociones que pueden *acabar (3)* en asaltos y homicidios. El alcohol crea hábito y los DTs producidos por el excesivo y largo abuso van acompañados de alucinaciones como el ver insectos y otros animalillos sobre su *cuerpo (4)*. El alcoholismo crónico puede producir la destrucción de la personalidad. Además, se sabe que los que abusan de él, mueren a una edad relativamente joven.

Blanco y Negro

1. ligera
   a. total
   b. moderada
   c. completa
   d. entera

2. desata
   a. permite
   b. libera
   c. remueve
   d. a, b y c

3. acabar
   a. comenzar
   b. terminar
   c. iniciar
   d. originar

4. cuerpo
   a. persona
   b. dormitorio
   c. cuarto
   d. habitación

5. ¿Qué se aprende en este artículo?
   a. El alcohol es inocuo en cualquier dosis porque no es adictivo.
   b. El alcoholismo no es un gran problema para la sociedad.
   c. El abuso del alcohol puede resultar en una vida corta.
   d. Los alcohólicos cometen la mayoría de los crímenes violentos.

Indicar la dificultad: fácil----A B C D E----difícil
Indicar su interés en el tema: interesante----A B C D E----no interesante

EJERCICIOS

A. Completar de memoria:

1. peq __ eño
2. prod __ ce
3. euf __ ria
4. emo __ ión
5. __ salto

6. h __´ bito
7. ex __ esivo
8. abus __
9. al __ cinaciones
10. __ nsecto

B. Cambiar a infinitivos:

1. produce
2. mueren
3. sabe
4. crea
5. van

a substantivos:

1. inhibir
2. asaltar
3. habituar
4. abusar
5. alucinar

C. Indicar sinónimos:

1. moderado
2. terminar
3. comenzar
4. habitación
5. habitual

Antónimos:

1. desatar
2. inocuo
3. grande
4. larga
5. minoría

D. Definir:

_____ euforia

_____ homicidio

_____ largo

_____ alucinación

_____ destruir

1. visión
2. violencia
3. tranquilidad
4. continuo
5. asesinato
6. joven
7. contrario de construir

E. Combinar en frases:

1. alcohol / producir / tranquilidad
2. cantidad / reducir / inhibiciones
3. abuso / ir acompañado / alucinaciones
4. uso / destruir / personalidad
5. algunos / morir / joven

F. Contestar cierta o falsa:

1. El alcohol es una droga.
2. En pequeñas cantidades no tiene ningún efecto en el hombre.
3. En grandes cantidades desata las inhibiciones.
4. Su largo uso puede producir un cambio en la personalidad.
5. Nadie se muere por el abuso del alcohol.

G. Responder:

1. ¿El alcohol es una droga o un crimen?
2. ¿El efecto es inocuo o nocivo para el hombre?
3. ¿En grandes cantidades, aumenta o reduce las inhibiciones?
4. ¿El largo abuso produce cambios nocivos o beneficios en la personalidad?
5. ¿Alguien o nadie muere del abuso del alcohol?

H. Contestar/discutir:

1. ¿Cómo se clasifica el alcohol?
2. ¿Qué efecto tiene en el hombre?
3. ¿Cómo puede cambiar la personalidad?
4. ¿Quién se muere por el alcohol?
5. ¿La edad legal para tomar bebidas alcohólicas debe ser . . . ?

Clave

Derivado: atacar – ataque
Sufijo: -ncia = efecto: vigilar – vigilancia
Antónimo: nuevo ≠ viejo
moderno ≠ antiguo
con ≠ sin
contra ≠ a favor de

VANDALISMO
Protección para el arte

Los italianos están decididos a impedir otro acto vandálico contra sus ***obras de arte (1)***. No más Miguelángeles mutilados, dicen. Como resultado de un ataque contra la famosa "Pietá" en 1972, varios de los museos e iglesias de Italia tienen ahora o van a instalar nuevos sistemas modernos de vigilancia electrónica. La primera instalación está completada en el Vaticano donde esculturas como "La Pietá" pueden observarse ***sin temor (2)*** de actos destructivos. En el futuro, ***los ladrones (3)*** y ***perturbados mentales (4)*** van a encontrar serios obstáculos a sus actividades.

Blanco y Negro

1. obras de arte
a. estatuas
b. esculturas
c. pinturas
d. a, b y c

2. sin temor – es decir, no hay...
a. serenidad
b. preocupación
c. tranquilidad
d. seguridad

3. ladrones
a. policía
b. criminales
c. detectives
d. guardias

4. perturbados mentales – hombres...
a. inteligentes
b. sanos
c. locos
d. contentos

5. ¿Qué se aprende en este artículo?
a. Hay muchos vándalos en Italia.
b. Las obras artísticas no van a ser mutiladas ahora tan fácilmente como en el pasado.
c. Hay más policía que nunca en las iglesias y en los museos.
d. Miguel Angel vive en un edificio del Vaticano.

Indicar la dificultad: fácil----A B C D E----difícil
Indicar su interés en el tema: interesante----A B C D E----no interesante

EJERCICIOS

A. Completar de memoria:
1. __ taliano
2. imp __ dir
3. act __
4. ar __ e
5. m __ seo

6. igl __ sia
7. inst __ lar
8. __ scultura
9. fut __ ro
10. seri __

B. Cambiar a infinitivos:
1. están
2. dicen
3. tienen
4. van
5. pueden

a substantivos:
1. actuar
2. obrar
3. atacar
4. vigilar
5. instalar

C. Indicar sinónimos:
1. criminal
2. policía
3. loco
4. vándalo
5. escultura

Antónimos:
1. insano
2. con
3. pasado
4. nuevo
5. antiguo

D. Definir:
_____ impedir
_____ museo
_____ vigilar
_____ vandalismo
_____ obstáculo

1. edificio
2. barrera
3. instalar
4. moderno
5. acto destructivo
6. observar
7. montar obstáculos

E. Escribir una lista de:
1. substantivos masculinos (7)
2. adjetivos de cantidad (3)
3. verbos en infinitivo (3)

F. Contestar cierta o falsa:
1. Los italianos están decididos a proteger sus obras de arte.
2. Algunos museos van a instalar sistemas de vigilancia.
3. La primera instalación está en el Vaticano.
4. La Pietá es una escultura.
5. Va a ser difícil mutilar una obra de arte en Italia.

G. Responder:
1. ¿Los italianos o los alemanes desean proteger el arte en sus museos?
2. ¿Van a instalar o retirar los sistemas de vigilancia?
3. ¿La primera o la segunda instalación está en el Vaticano?
4. ¿Es La Pietá una escultura o una pintura?
5. ¿Va a ser fácil o difícil cometer actos de vandalismo en Italia?

H. Contestar/discutir:
1. ¿Quién quiere proteger sus obras de arte?
2. ¿Qué van a instalar en los museos e iglesias?
3. ¿Dónde está la primera instalación?
4. ¿Qué es La Pietá?
5. ¿Qué va a ser difícil hacer en los museos e iglesias de Italia?

Clave

Derivado: inundar – inundado – inundación
origen – originar – original
Prefijo: des- = no: deshelar
i- irreversible

EL CLIMA
La contaminación y sus consecuencias

En la atmósfera que *rodea (1)* a nuestro *planeta (2)* hay partículas suspendidas en el aire. A causa de la contaminación, estas partículas pueden causar dos tipos de problemas. Por un lado, modifican la reflexión atmosférica y como consecuencia, la temperatura, porque la energía solar no puede llegar a la superficie. Por otra parte, la misma contaminación, es decir las partículas, pueden también causar un *deshielo (3)* del *casquete polar (4)* porque la energía del planeta no puede *escapar (5)*. El deshielo puede causar grandes *inundaciones (6)* en diversas regiones del planeta. Los resultados en los dos casos pueden *originar (7)* procesos irreversibles *y poner fin a (8)* la vida y a la vegetación.

Blanco y Negro

1. rodea
a. delante de
b. alrededor de
c. detrás de
d. debajo de

2. nuestro planeta
se llama . . .
a. Tierra
b. Venus
c. Marte
d. Plutón

3. deshielo – . . . de hielo
o nieve
a. disminución
b. desaparición
c. reducción
d. a, b y c

4. casquete polar –
por ejemplo . . .
a. Africa
b. Asia
c. Australia
d. El Artico

5. escapar
a. llegar
b. salir
c. comenzar
d. buscar

6. inundaciones – diluvio
cuando el agua invade . . .
a. los ríos
b. la tierra
c. los lagos
d. el océano

7. originar
a. buscar
b. encontrar
c. causar
d. admirar

8. poner fin a
a. comenzar
b. empezar
c. iniciar
d. terminar

9. ¿Qué se aprende en este artículo?
a. La contaminación atmosférica es un gran problema.
b. Las consecuencias de la polución pueden ser severas.
c. En el futuro, la flora y la fauna pueden desaparecer completamente.
d. a, b y c

10. ¿Cuál de estas ciudades va a ser inundada si hay un deshielo? ¿Por qué?
a. Madrid, España.
b. Nueva York, EEUU.
c. La Paz, Bolivia.
d. Santiago, Chile.

Indicar la dificultad: fácil----A B C D E----difícil
Indicar su interés en el tema: interesante----A B C D E----no interesante

EJERCICIOS

A. Completar de memoria:

1. atmós __ era
2. a __ re
3. c __ ntaminación
4. t __ pos
5. temper __ tura

6. sol __ r
7. p __ lar
8. gra __ de
9. c __ so
10. veg __ tación

B. Cambiar a infinitivos:

1. rodea
2. pueden
3. modifican
4. es
5. van

a substantivos:

1. contaminar
2. reflejar
3. inundar
4. procesar
5. causar

C. Indicar sinónimos:

1. tierra
2. ártico
3. salir
4. diluvio
5. terminar

Antónimos:

1. ecuador
2. solución
3. deshelar
4. irreversible
5. detrás de

D. Eliminar uno:

1. interior / superficie / exterior
2. mismo / diverso / igual
3. lago / río / tierra
4. admirar / originar / causar
5. flora / vegetación / fauna

E. Escribir una lista de palabras relacionadas con:

1. "La atmósfera"
2. "El deshielo"

F. Contestar cierta o falsa:

1. Hay partículas suspendidas en el aire de nuestro planeta.
2. Las partículas resultan de la contaminación.
3. La energía solar no puede llegar a la superficie.
4. Las partículas pueden causar una inundación de las montañas.
5. Una inundación puede cambiar irremediablemente la superficie del planeta.

G. Responder:

1. ¿Hay partículas suspendidas en la atmósfera o en el casquete polar?
2. ¿Las partículas resultan del deshielo o de la contaminación?
3. ¿La energía solar no puede escapar o no puede llegar a la superficie?
4. ¿El deshielo puede causar una inundación de las montañas o de las costas?
5. ¿La inundación puede cambiar la parte interior o la superficie del planeta?

H. Contestar/discutir:

1. ¿Dónde se encuentran partículas suspendidas en el aire?
2. ¿De dónde vienen estas partículas?
3. ¿Cuál es el efecto de las partículas en nosotros?
4. ¿Qué es una inundación?
5. ¿Cuáles son las ciudades que van a inundarse si hay un deshielo general del casquete polar?

Clave

Derivado: enfermar – enfermo – enfermedad
Prefijo: in- = no: inevitable, innecesario
Antónimo: mismo ≠ diferente
Expansión: o←→ue: mortal – muerte

CONTRA EL CANCER, EL DEPORTE
La importancia del ejercicio

Un doctor en Noruega *asegura (1)* que las personas normales enferman de cáncer siete veces más frecuentemente que los gimnastas de la *misma (2)* edad que *corren (3)* largas distancias. El doctor cree que un exceso de hidrógeno en nuestro *organismo (4)* es el verdadero agente canceroso. *Por ello (5),* la natación, el montar en bicicleta regularmente, y una comida con *una moderada cantidad (6)* de calorías (1.700 por día) *evitan (7)* una acumulación innecesaria de hidrógeno y *previenen (8)* contra el cáncer.

Blanco y Negro

1. asegura
  a. declara
  b. dice
  c. afirma
  d. a, b y c

2. la misma edad – . . . número de años
  a. idéntico
  b. diferente
  c. distinto
  d. desigual

3. corren
  a. trotan
  b. comen
  c. toman
  d. beben

4. en nuestro organismo –
  es decir, en . . .
  a. el aire
  b. la atmósfera
  c. el cuerpo
  d. el espacio

5. Por ello
  a. El corolario es
  b. La consecuencia es
  c. El resultado es
  d. a, b y c

6. una moderada cantidad
  a. mucho
  b. ni mucho, ni poco
  c. poco
  d. todo

7. evitan
  a. provocan
  b. causan
  c. impiden
  d. producen

8. previenen
  a. funcionan
  b. trabajan
  c. protegen
  d. a, b y c

9. Según este artículo, si uno no quiere contraer cáncer, debe . . .
  a. acumular calorías.
  b. hacer ejercicio.
  c. comer con frecuencia.
  d. ser sedentario.

10. ¿Qué se aprende en este artículo?
  a. El cáncer causa muchas muertes entre los atletas.
  b. Los investigadores pueden curar muchas enfermedades.
  c. La comida es más importante que la gimnasia regular.
  d. La práctica de algún deporte parece necesaria a la buena salud.

Indicar la dificultad: fácil----A B C D E----difícil
Indicar su interés en el tema: interesante----A B C D E----no interesante

EJERCICIOS

A. Completar de memoria:

1. docto __
2. __ ersona
3. nor __ al
4. __ áncer
5. gim __ asta

6. l __ rga
7. dis __ ancia
8. ex __ eso
9. __ gente
10. c __ loría

B. Cambiar a infinitivos:

1. asegura
2. enferman
3. comen
4. cree
5. evita

a substantivos:

1. nadar
2. comer
3. acumular
4. morir
5. investigar

C. Indicar sinónimos:

1. declarar
2. idéntico
3. tratar
4. proteger
5. impedir

Antónimos:

1. diferente
2. enfermar
3. irregular
4. innecesario
5. desigual

D. Eliminar uno:

1. atleta / deporte / exceso
2. nadar / ejercitar / prevenir
3. comida / aire / atmósfera
4. provocar / evitar / producir
5. salud / cáncer / enfermedad

E. Escribir una lista de:

1. deportes (3)
2. adverbios en -mente (2)
3. adjetivos de cantidad (3)
4. substantivos que se refieren a la gente (2)

F. Contestar cierta o falsa:

1. Se cree que el ejercicio regular previene contra el cáncer.
2. La gimnasia es un deporte.
3. Los gimnastas se enferman del cáncer más que una persona que no hace ejercicio.
4. El exceso de hidrógeno en el cuerpo puede ser un agente canceroso.
5. Es necesario hacer ejercicio y comer bien para tener buena salud.

G. Responder:

1. ¿Causa o previene contra el cáncer el ejercicio regular?
2. ¿Es la gimnasia un deporte o una comida?
3. ¿Se enferman de cáncer los atletas más o menos frecuentemente que una persona más sedentaria?
4. ¿Cree el doctor que el exceso de hidrógeno o de nitrógeno puede ser un agente canceroso?
5. ¿Es importante comer más o menos de 1.700 calorías por día?

H. Contestar/discutir:

1. ¿Quiénes se enferman menos de cáncer?
2. ¿Qué es la gimnasia?
3. ¿Cuáles son algunos ejemplos de deportes?
4. ¿Qué puede ser un agente canceroso y por qué ocurre?
5. ¿Qué ejercicio hace Vd. todos los días?

Clave

Expansión: e ⟷ ie: comenzar – comienzo
Antónimo: verdad ≠ mentira
Cambio: g̶: aug̶ment – aumentar
       y ⟷ i: símbolo

RAQUEL WELCH
Una vida interesante

    ¿Sabe Vd. que en realidad Raquel Welch se llama Raquel Tejada y es hija de padres bolivianos? Pues es la verdad. Su *apellido (1)* artístico es de su primer *esposo (2)*. Raquel Tejada *nace (3)* en 1940 en La Jolla, California, de padre ingeniero y madre que trabaja en casa. Tiene la infancia tranquila, una vida normal, y después comienzan los títulos de belleza, el matrimonio y el divorcio. Unos años más tarde llega a Hollywood donde aumenta su fama y habilidad como actriz. Ahora vive contenta dentro del mundo cinematográfico, símbolo de la *mujer (4)* del año 2.000.

                                             ABC de Las Américas

1. apellido artístico –
   quiere decir . . .
   a. Raquel
   b. Welch
   c. Tejada
   d. Boliviano

2. esposo
   a. marido
   b. amigo
   c. enemigo
   d. familia

3. nace – ve . . . primero
   a. al marido
   b. el mundo
   c. la verdad
   d. el arte

4. mujer
   a. una señora
   b. una señorita
   c. persona del sexo femenino
   d. a, b y c

5. ¿Cuál es la nacionalidad original de Raquel Welch?
   a. Estadounidense.
   b. Latinoamericana.
   c. Ingeniera.
   d. Actriz.

6. ¿Qué simboliza la actriz, según el artículo?
   a. Bolivia.
   b. Una señorita contenta.
   c. El futuro.
   d. El divorcio.

Indicar la dificultad: fácil----A B C D E----difícil
Indicar su interés en el tema: interesante----A B C D E----no interesante

EJERCICIOS

A. Completar de memoria:
1. real __ dad
2. p __ dre
3. verd __ d
4. __ sposo
5. madr __
6. inf __ ncia
7. n __ rmal
8. t __ tulo
9. divorci __
10. f __ ma

B. Cambiar a infinitivos:
1. sabe
2. se llama
3. nace
4. comienzan
5. aumenta

a substantivos:
1. apellidar
2. mentir
3. titular
4. divorciar
5. simbolizar

C. Indicar sinónimos:
1. nombre
2. contenta
3. empezar
4. incrementar
5. marido

Antónimos:
1. matrimonio
2. actor
3. mentira
4. último
5. hombre

D. Definir:
_____ en realidad

_____ nacer

_____ fama

_____ habilidad

_____ símbolo

1. aparecer
2. figura
3. reputación
4. mundo
5. artístico
6. verdaderamente
7. capacidad

E. Escribir una lista de palabras relacionadas con:
1. "La fama"
2. "El mundo cinematográfico"

F. Contestar cierta o falsa:
1. Raquel Welch es boliviana.
2. Welch es el apellido de sus padres.
3. Ella nace en 1940 en La Jolla, Bolivia.
4. Pasa una infancia triste.
5. Es un símbolo del futuro.

G. Responder:
1. ¿Raquel Welch es boliviana o estadounidense?
2. ¿Welch es el nombre de los padres o de su primer esposo?
3. ¿Ella nace en Bolivia o en California?
4. ¿Su infancia es triste o tranquila?
5. ¿Es ella un símbolo del futuro o del pasado?

H. Contestar/discutir:
1. ¿De dónde es Raquel Welch?
2. ¿De quién es su apellido?
3. ¿Dónde y cuándo nace?
4. Diga algo de su infancia, su juventud.
5. ¿Cómo simboliza ella la mujer del año 2.000?

Clave

Prefijo: des- = negación: aparecer – desaparecer
oposición: armar – desarmar
Familia: revista – periódico – libro
Antónimo: algo ≠ nada

EL CRIMEN
Ocurrencia frecuente

Una revista mexicana nos informa de que, según la Dirección General de Policía y Tránsito del Distrito Federal de México, cada treinta y cinco minutos se registra un *atropello (1)* en la capital; cada veintitrés, *un choque (2)*; cada cuarenta y tres, un crimen; cada dieciséis, un *delito (3)*; un suicidio, cada sesenta y ocho. No se incluyen, por *desconocerlos (4)*, los casos en que las víctimas *no acuden (5)* a las autoridades. Esto ocurre con frecuencia pero principalmente porque la gente no quiere *meterse en líos (6)* por *temor a represalias (7)*, por *no perder (8)* tiempo, por *evitar (9)* el escándalo familiar, o por pensar que, realmente, no sirve para nada.

Ya

1. **atropello** – . . . personal
   a. insulto o abuso
   b. fiesta
   c. exhibición
   d. celebración

2. **choque** – . . . de coches
   a. encuentro violento
   b. carrera de velocidad
   c. examen de conductor
   d. lección de cortesía

3. **delito** – por ejemplo . . .
   a. un concierto
   b. un robo
   c. una representación teatral
   d. un espectáculo de televisión

4. **por desconocerlos**
   a. ignorarlos
   b. nombrarlos
   c. tener información
   d. ser la verdad

5. **no acuden**
   a. no vienen
   b. no van
   c. no se presentan
   d. a, b y c

6. **no quiere meterse en líos** – prefiere no . . .
   a. intervenir en algo problemático
   b. informar a los oficiales
   c. asistir a la víctima
   d. a, b y c

7. **temor a represalias** – preocuparse por la posibilidad de . . .
   a. encontrar dinero
   b. recibir remuneración
   c. sufrir una venganza
   d. ganar una fortuna

8. **no perder**
   a. encontrar
   b. partir
   c. dividir
   d. separar

9. **evitar**
   a. desear
   b. eludir
   c. preferir
   d. querer

10. ¿Qué se aprende en este artículo?
    a. Hay accidentes y crímenes a casi todas las horas del día.
    b. Muchos de los que ven un accidente o un robo prefieren no decir nada.
    c. Hay más delitos que suicidios.
    d. a, b y c

Indicar la dificultad: fácil----A B C D E----difícil
Indicar su interés en el tema: interesante----A B C D E----no interesante

EJERCICIOS

A. Completar de memoria:

1. r __ vista
2. min __ to
3. capit __ l
4. cr __ men
5. c __ so
6. v _́_ ctima
7. aut __ ridad
8. g __ nte
9. esc _́_ ndalo
10. re __ lmente

B. Cambiar a infinitivos:

1. informa
2. registra
3. incluyen
4. ocurre
5. quiere

a substantivos:

1. dirigir
2. chocar
3. suicidar
4. autorizar
5. escandalizar

C. Indicar sinónimos:

1. abuso
2. accidente
3. robo
4. venir
5. eludir

Antónimos:

1. excluir
2. conocer
3. raramente
4. desaparecer
5. saber

D. Definir:

_____ revista

_____ delito

_____ autoridad

_____ meterse

_____ represalia

1. ocuparse
2. examen
3. exhibición
4. policía
5. crimen menor
6. venganza
7. publicación

E. Indicar el orden de superior a inferior en frecuencia:

1. suicidio
2. robo
3. asalto
4. accidente de coche

F. Contestar cierta o falsa:

1. En México hay más suicidios que choques de coche.
2. Muchas víctimas de asaltos nunca van a la policía.
3. La policía sabe de todos los casos de robo que ocurren.
4. Mucha gente no quiere asistir a las víctimas de un accidente o crimen.
5. Otra gente piensa que su intervención en realidad no sirve para nada.

G. Responder:

1. ¿En México hay más suicidios o accidentes de coche en una hora?
2. ¿Un delito es algo positivo o algo negativo?
3. ¿Sabe la policía de todos los casos de robo o desconoce su existencia?
4. ¿Mucha gente cree que es necesario ayudar a una víctima de accidente o no quiere meterse en líos?
5. ¿Otros no quieren intervenir para evitar un escándalo o por pensar en la víctima?

H. Contestar/discutir:

1. ¿Qué tipos de crimen se ven en México?
2. ¿Cuál es el más prevalente?
3. ¿Qué problema tiene la policía?
4. ¿Por qué no interviene la gente?
5. ¿Debemos intervenir o no en un crimen que está en proceso? ¿Por qué?

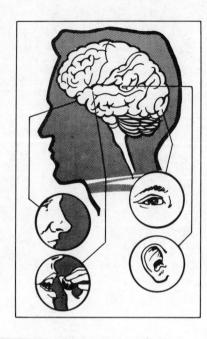

Clave

Derivado: transmitir – transmisión
          dirigir – dirección
Gramática: -ndo = acto en progreso: distinguir – distinguiendo
Equivalencia: 1 kilo = 2.2 libras
Antónimo: mejor ≠ peor
          mismo ≠ diferente

EL CEREBRO
Un órgano fenomenal

El cerebro es el *trozo (1)* de materia mejor organizado del universo: está constituido por células electroquímicas en constante evolución y que permiten movernos, ver y pensar, crear, amar, y *ser conscientes de (2)* nuestros actos . . . y todo eso dentro de una masa que *pesa (3)* menos de un kilo y medio. El cerebro *dirige (4)* la enorme cantidad de funciones de nuestro cuerpo y analiza los datos del mundo exterior que transmiten *los sentidos (5)*. El cerebro puede *manejar (6)* centenares de *informes (7)* al mismo tiempo, distinguiendo entre realidad, memoria, y fantasía. Además, tiene la capacidad de controlar los verdaderos impulsos y emociones que produce.

Blanco y Negro

1. trozo
   a. fragmento
   b. pedazo
   c. parte
   d. a, b y c

2. ser conscientes de
   a. no comprender
   b. entender
   c. ignorar
   d. olvidar

3. pesar – tener un(a) . . .
   a. anchura
   b. diámetro
   c. densidad
   d. circunferencia

4. dirige
   a. sube
   b. baja
   c. gobierna
   d. compra

5. los sentidos – por ejemplo . . .
   a. la vista
   b. el oído
   c. el tacto
   d. a, b y c

6. manejar
   a. consistir
   b. insistir
   c. manipular
   d. asistir

7. informes
   a. ejemplos
   b. noticias
   c. estímulos
   d. a, b y c

8. ¿De qué trata este artículo?
   a. De un órgano del cuerpo humano.
   b. De un estudio electromagnético.
   c. De la evolución del hombre.
   d. De ciencia-ficción.

9. ¿Qué se aprende en este artículo?
   a. El cerebro tiene una masa dos veces más que el corazón.
   b. El cerebro gobierna las emociones y los sentidos del hombre.
   c. El cerebro produce la realidad que el hombre ve a sus alrededores.
   d. Las células electromagnéticas desaparecen más rápidamente de lo que aparecen.

10. ¿Cuánto pesa el cerebro, según el artículo?
   a. < 2.2 libras
   b. > 2.2 libras
   c. 2.2 libras
   d. 4.5 libras

Indicar la dificultad: fácil----A   B   C   D   E----difícil
Indicar su interés en el tema: interesante----A   B   C   D   E----no interesante

EJERCICIOS

A. Completar de memoria:
1. cerebr __
2. m __ teria
3. __ niverso
4. const __ nte
5. a __ to
6. m __ sa
7. __ ilo
8. enorm __
9. d __ tos
10. m __ moria

B. Cambiar a infinitivos:
1. organizado
2. constituido
3. analiza
4. pesa
5. transmiten

a substantivos:
1. evolucionar
2. funcionar
3. informar
4. capacitar
5. impulsar

C. Indicar sinónimos:
1. fragmento
2. entender
3. gobernar
4. ordenar
5. noticia

Antónimos:
1. peor
2. inconsciente
3. realidad
4. falso
5. aparecer

D. Eliminar uno:
1. parte / trozo / impulso
2. densidad / diámetro / anchura
3. fantasía / realidad / ciencia-ficción
4. saber / ser consciente / pesar
5. comparar / distinguir / evolucionar

E. Escribir una lista de palabras relacionadas con:
1. "El cerebro"
2. "Las funciones del cuerpo"

F. Contestar cierta o falsa:
1. El cerebro es la materia peor organizada del universo.
2. Las células electroquímicas nos permiten funcionar.
3. El cerebro pesa cinco libras.
4. Los datos percibidos por los sentidos son analizados por el cerebro.
5. El cerebro puede interpretar solamente un estímulo a la vez.

G. Responder:
1. ¿Es el cerebro la materia mejor o peor organizada del universo?
2. ¿Las células electroquímicas nos permiten o nos prohiben funcionar?
3. ¿El cerebro pesa más o menos cinco kilos o cinco libras?
4. ¿Los datos que reciben nuestros sentidos son gobernados o analizados por el cerebro?
5. ¿El cerebro puede interpretar solamente uno o múltiples datos simultáneos?

H. Contestar/discutir:
1. ¿Cómo es la organización de nuestro cerebro?
2. ¿Qué función tienen las células electroquímicas?
3. ¿Cuánto pesa el cerebro?
4. ¿Qué hace el cerebro con los datos que recibimos?
5. ¿Cuál de nuestros sentidos cree Vd. que es el más importante?

Clave

Derivado: perder – pérdida – perdición
Expansión: o ⟷ au: oír – audición – auditorio –auditivo
Sinónimo: igual = mismo

EL RUIDO Y LA EDAD
Audición reducida

En sociedades industriales la *pérdida (1)* de *audición (2)* en los hombres comienza normalmente entre los veinticinco y los treinta años. Ellos sufren mayor pérdida auditoria que las mujeres porque generalmente están más *expuestos (3)* al *ruido (4)*.

Es interesante notar que en unos estudios en Africa entre un grupo de personas relativamente primitivas, no hay diferencias en la capacidad auditiva entre hombres y mujeres. Se encuentra igual resultado en los *pueblos (5)* de *bajo nivel industrial (6)*. En esos últimos dos casos, la gente conserva una *aguda (7)* habilidad auditiva hasta una *edad (8)* muy avanzada.

Blanco y Negro

1. pérdida
a. incremento
b. aumento
c. reducción
d. perfección

2. audición –
habilidad para . . .
a. escribir
b. caminar
c. ver
d. oír

3. expuestos
a. cerca
b. próximos
c. alrededor
d. a, b y c

4. ruido
a. silencio
b. sonidos diversos
c. quietud
d. tranquilidad

5. pueblos – por ejemplo . . .
a. poblaciones
b. tribus
c. naciones
d. a, b y c

6. bajo nivel industrial –
en otras palabras . . .
a. máxima fabricación
b. inferior producción
c. alta construcción
d. avanzada mecanización

7. aguda
a. inferior
b. mala
c. sensitiva
d. inactiva

8. edad – . . . de la vida
a. época
b. años
c. momento
d. a, b y c

9. ¿Qué se aprende en este artículo?
a. Las mujeres no oyen tan bien como los hombres, en general.
b. En una sociedad avanzada, el hombre oye con más dificultad que la mujer.
c. Hay una pérdida completa de audición en la gente vieja en todas las culturas.
d. Las personas que viven en la ciudad de Nueva York, por ejemplo, tienen la audición más sensible que las que viven en las montañas.

10. Hay dos hombres: uno, trabajador en una fábrica de automóviles, el otro, pastor en Sudamérica. Los dos tienen 50 años. Según el artículo, ¿cuál de los siguientes sonidos puede percibir el pastor que el trabajador no oye?
a. Una explosión de dinamita.
b. La sirena de una ambulancia.
c. El tictac de un reloj.
d. Los anuncios de la televisión.

Indicar la dificultad: fácil----A B C D E----difícil
Indicar su interés en el tema: interesante----A B C D E----no interesante

EJERCICIOS

A. Completar de memoria:

1. socied __ d
2. nor __ al
3. a __ ditorio
4. m __ jor
5. __ studio

6. prim __ tivo
7. dif __ rencia
8. __ gual
9. ´ __ ltimo
10. __ abilidad

B. Cambiar a infinitivos:

1. comienza
2. sufren
3. están
4. encuentran
5. conserva

a substantivos:

1. perder
2. oír
3. estudiar
4. diferir
5. resultar

a adverbios en -mente:

1. normal
2. general
3. relativo
4. frecuente
5. último

C. Indicar sinónimos:

1. reducción
2. sonido
3. población
4. época
5. percibir

Antónimos:

1. mínimo
2. superior
3. bajo
4. inactivo
5. joven

D. Eliminar uno:

1. tribu / nación / estudio
2. aumento / pérdida / incremento
3. ruido / silencio / tranquilidad
4. destrucción / construcción / fabricación
5. igual / diferente / diverso

E. Escribir una lista de palabras relacionadas con:

1. "La audición"
2. "El campo y la ciudad"

F. Contestar cierta o falsa:

1. El hombre de una sociedad industrial puede oír perfectamente.
2. Es cierto que el hombre pierde la habilidad de oír a una edad joven.
3. En una sociedad primitiva hay mucha diferencia entre hombres y mujeres en la capacidad auditiva.
4. El bajo nivel industrial se relaciona con una habilidad superior auditiva.
5. En general el hombre no oye tan bien como la mujer.

G. Responder:

1. ¿El hombre en una sociedad industrial tiene la audición perfecta o imperfecta?
2. ¿El hombre tiene la tendencia de perder la audición a una edad joven o avanzada?
3. ¿Hay mucha o poca diferencia entre los hombres y las mujeres de una sociedad primitiva en la habilidad de oír?
4. ¿El bajo nivel industrial se relaciona con una habilidad inferior o superior de oír?
5. ¿En general el hombre oye igual o mejor que la mujer?

H. Contestar/discutir:

1. ¿En qué tipo de sociedad oye mejor el hombre?
2. ¿Cuándo pierde el hombre la audición?
3. ¿Quiénes oyen mejor, los hombres o las mujeres?
4. ¿Con qué se relaciona una habilidad inferior de oír?
5. ¿Quién oye mejor en su familia?

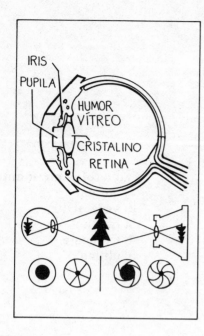

Clave

Derivado: ver – vista – visión – visual
percibir – percepción

Cambio: x⟷j: complejo

Expansión: e⟷ie: centenar – ciento
décima – diez

Antónimo: sencillo ≠ complicado

LA VISTA
Fundamental en la percepción

La visión es el más importante y más complicado de todos los *sentidos (1)* del hombre. Por medio de los ojos recibimos un noventa por ciento de toda la información del mundo que *nos rodea (2)*. Se necesita la décima parte de la corteza cerebral para interpretar los complejos datos visuales. La retina del ojo es una parte del cerebro y el único punto donde *ésta (3)* recibe estímulos del exterior. Las células de la retina, llamadas bastones y conos, transforman la *luz (4)* en el lenguaje electroquímico del cerebro. El ojo humano no es tan complejo como los ojos de algunos insectos, pero la habilidad de interpretar centenares de millones de fragmentos visuales hace singular la percepción del hombre.

Blanco y Negro

1. sentido – facultad para . . .
a. oír
b. ver
c. sentir
d. a, b y c

2. nos rodea – está . . .
nosotros
a. dentro de
b. alrededor de
c. antes de
d. después de

3. ésta – se refiere a . . .
a. el cerebro
b. el ojo
c. la retina
d. la luz

4. luz
a. obscuridad
b. negro
c. algo sin color
d. claridad

5. ¿Qué se aprende en este artículo?
a. Un noventa por ciento de nuestro pensamiento es determinado por la luz.
b. El ojo humano es mucho más complicado que el ojo de los mosquitos y otros insectos.
c. La retina del ojo tiene poca importancia en la percepción de la realidad, sólo es necesaria en la imaginación.
d. Una gran parte de lo que nos impresiona entra por la retina del ojo.

Indicar la dificultad: fácil----A B C D E----difícil
Indicar su interés en el tema: interesante----A B C D E----no interesante

EJERCICIOS

A. Completar de memoria:

1. v __ sión
2. m __ dio
3. oj __
4. mund __
5. cort __ za

6. d __ to
7. r __ tina
8. cer __ bro
9. est __ mulo
10. ins __ cto

B. Cambiar a infinitivos:

1. hace
2. recibimos
3. rodea
4. se necesita
5. transforman

a substantivos:

1. ver
2. sentir
3. informar
4. estimular
5. percibir

C. Indicar sinónimos:

1. estar alrededor de algo
2. claridad
3. vista
4. complicado
5. habilidad

Antónimos:

1. interior
2. complejo
3. múltiple
4. blanco
5. realidad

Parte del cuerpo – facultad

1. ojo – vista
2. nariz –
3. lengua –
4. oreja –
5. dedo –

D. Definir:

_____ retina
_____ cerebro
_____ dato
_____ singular
_____ fragmento

1. encéfalo
2. ojo
3. membrana
4. información
5. facultad
6. único
7. parte

E. Escribir una lista de palabras relacionadas con:

1. "La percepción"
2. "El cerebro"

F. Contestar cierta o falsa:

1. La visión es el sentido más complejo del hombre.
2. El noventa por ciento de los estímulos nos entran por la nariz.
3. Se necesita la quinta parte de la corteza cerebral para interpretar los datos visuales.
4. La retina es una parte del cerebro.
5. El ojo humano es más complejo que el de algunos insectos.

G. Responder:

1. ¿La visión o el oído es el sentido más complejo del hombre?
2. ¿La mayoría de los estímulos nos entran por la nariz o por el ojo?
3. ¿La quinta o la décima parte de la corteza es necesaria para la interpretación de los datos visuales?
4. ¿La retina o la oreja es parte del cerebro?
5. ¿El ojo humana es más o menos complicado que el de algunos insectos?

H. Contestar/discutir:

1. ¿Cuál es el sentido más importante del hombre?
2. ¿Por dónde percibimos la mayoría de los estímulos?
3. ¿Qué parte del cerebro se usa para interpretar los datos visuales?
4. ¿Qué es la retina y qué función tiene?
5. ¿Cuál es más importante, ver u oír? ¿Por qué?

Clave

Derivado: perder – pérdida – perdición
amar – amor
informar – informe – información
Expansión: o ⟵→ au: oír – oído – audición

EL FUMAR CAUSA SORDERA
Un efecto misterioso

El *vicio (1)* de fumar posiblemente provoca cáncer de *pulmón (2)*, enfisemas, y otras enfermedades. También el fumar implica un *peligro (3)* para el *oído (4)* según un informe publicado por la Universidad Andrews de los Estados Unidos.

Después de una investigación de varios años, el doctor Prescod opina que hay un efecto del tabaco en el oído *medio (5)* y que el fumar en exceso puede causar una *pérdida (5)* auditiva. El doctor Prescod dice que todas las personas que fuman más de veinte cigarrillos al día, sufren el peligro de *perder (7)* la comprensión de las altas y bajas frecuencias de los *sonidos (8)*. Esto imposibilita escuchar bien o entender una conversación normal.

Blanco y Negro

1. vicio
a. buen hábito
b. mala costumbre
c. algo agradable
d. acto favorable

2. pulmón – órgano...
a. de la digestión
b. de la respiración
c. de la procreación
d. de la locomoción

3. peligro
a. beneficio
b. problema severo
c. algo bueno
d. un factor

4. el oído – aparato humano que permite percibir...
a. colores
b. canciones
c. texturas
d. perfumes

5. el oído medio – la parte...
a. exterior
b. afuera
c. superficial
d. interior

6. pérdida auditiva
a. amplificación
b. reducción
c. aumento
d. ampliación

7. perder
a. obtener
b. causar
c. dejar de tener
d. producir

8. sonidos – por ejemplo...
a. ruido rítmico
b. tonos y timbres
c. tonalidades
d. a, b y c

9. ¿Qué es la "sordera"?
a. Es la disminución de la capacidad de oír.
b. Es lo que significa que uno oye mal.
c. Es lo que se dice de alguien que no puede percibir bien lo que otro dice.
d. a, b y c

10. ¿Qué se aprende en este artículo?
a. El doctor Prescod es muy famoso por su tabaco nuevo.
b. El fumar veinte cigarrillos al día es un beneficio para la visión.
c. El fumar mucho puede ocasionar dificultades en la habilidad de entender.
d. El tabaco en realidad no presenta ningún problema para los fumadores.

Indicar la dificultad: fácil----A B C D E----difícil
Indicar su interés en el tema: interesante----A B C D E----no interesante

EJERCICIOS

A. Completar de memoria:

1. v __ cio
2. cánce __
3. en __ isema
4. inf __ rme
5. vari __ s

6. __ fecto
7. ex __ eso
8. con __ ersación
9. f __ ecuencia
10. __ ormal

B. Cambiar a infinitivos:

1. provoca
2. implica
3. publicado
4. opina
5. fuman

a substantivos:

1. enfermar
2. oír
3. comprender
4. investigar
5. perder

C. Indicar sinónimos:

1. mala costumbre
2. problema
3. reducción
4. dejar de tener
5. ruido

Antónimos:

1. curar
2. beneficio
3. exterior
4. ampliación
5. disminución

Facultad – parte del cuerpo

1. vista –
2. oído –
3. respiración –
4. digestión –
5. circulación –

D. Definir:

_____ pulmón

_____ enfisema

_____ informe

_____ opinar

_____ cigarrillo

1. enfermedad
2. peligro
3. estudio
4. perder
5. tabaco
6. órgano de la respiración
7. pensar

E. Escribir una lista de:

1. verbos en infinitivo (4)
2. substantivos de forma verbal (1)
3. adverbios en -mente (1)
4. substantivos en forma -do (3)

F. Contestar cierta o falsa:

1. El fumar es un vicio.
2. El enfisema es una enfermedad pulmonar.
3. El tabaco puede causar problemas en el oído.
4. Hay peligro de perder la capacidad de oír si uno fuma mucho.
5. Es importante escuchar para comprender una conversación.

G. Responder:

1. ¿El fumar es un vicio o un beneficio?
2. ¿El enfisema es una enfermedad de los pulmones o del estómago?
3. ¿El tabaco o el fumar puede causar problemas en el oído?
4. ¿Hay peligro de perder la capacidad de oír o de ver si uno fuma mucho?
5. ¿Es importante investigar o escuchar para comprender una conversación?

H. Contestar/discutir:

1. ¿Cómo puede caracterizarse el fumar?
2. ¿Qué es el enfisema?
3. ¿Qué efecto tiene el fumar en la audición?
4. ¿Cuánto puede uno fumar sin causar daño a la capacidad de oír?
5. ¿Qué efecto tiene el tabaco en Vd.?

Clave

Derivado: permanecer – permanente – permanencia
luna – lunar – alunizar
Prefijo: re- = otra vez: reusar – reusable
Gramática: -ndo = en progreso: mantener – manteniendo
Sufijo: -aje = acto de: viajar – viaje

VIAJES A MARTE EN 20 AÑOS
La exploración espacial

Dentro de veinte años van a hacer viajes *tripulados (1)* al planeta Marte en un *remolcador (2)* espacial propulsado por energía atómica. La primera *etapa (3)* del vehículo va a ser de una construcción *reutilizable (4)* para viajes de *ida y vuelta (5)* entre una estación orbital permanente y una estación lunar. La segunda etapa va a ser tan grande como un edificio de cinco pisos y puede *alunizar (6)* y *permanecer (7)* allí largo tiempo.

Hacia el año 2000 este inmenso vehículo va a visitar Marte manteniéndose en órbita *en torno (8)* al planeta después de un viaje de sesenta días, para buscar y encontrar donde *"amartizar" (9)* para luego explorar la superficie del "planeta rojo."

Blanco y Negro

1. tripulados – con...
a. astronautas
b. hombres
c. gente
d. a, b y c

2. remolcador
a. cometa
b. vehículo
c. meteorito
d. sol

3. etapa
a. parte
b. sección
c. división
d. a, b y c

4. reutilizable –
que puede...
a. usarse una vez
b. servir múltiples veces
c. destruirse
d. descubrirse

5. ida y vuelta
a. subir y bajar
b. entrar y salir
c. ir y volver
d. abrir y cerrar

6. alunizar – llegar
a y tocar...
a. el sol
b. la Tierra
c. la luna
d. Marte

7. permanecer
a. salir
b. regresar
c. volver
d. continuar

8. en torno a
a. debajo de
b. alrededor de
c. dentro de
d. en

9. "amartizar" – llegar a
y tocar...
a. el sol
b. la Tierra
c. la luna
d. Marte

10. ¿Qué se aprende en este artículo?
a. El hombre va a caminar en la superficie del sol.
b. El establecimiento de plataformas para la investigación espacial no presenta ningún tipo de problema serio.
c. El mismo tipo de vehículo que visita la luna también va a visitar el planeta Marte.
d. Se necesitan 70 días para llegar a Marte desde el satélite de la Tierra.

Indicar la dificultad: fácil----A B C D E----difícil
Indicar su interés en el tema: interesante----A B C D E----no interesante

EJERCICIOS

A. Completar de memoria:

1. veint __
2. planet __
3. en __ rgía
4. v __ hículo
5. es __ ación

6. lun __ r
7. ed __ ficio
8. i __ menso
9. órb __ ta
10. s __ perficie

B. Cambiar a infinitivos:

1. van
2. presenta
3. visita
4. necesitan
5. mantiene

a substantivos:

1. construir
2. viajar
3. edificar
4. ir
5. volver

a derivados en -ndo:

1. mantener
2. buscar
3. visitar
4. volver
5. explorar

C. Indicar sinónimos:

1. vehículo
2. parte
3. ir y volver
4. continuar
5. alrededor

Antónimos:

1. ir
2. subir
3. entrar
4. abrir
5. temporal

D. Definir:

_____ tripular

_____ órbita

_____ piso

_____ alunizar

_____ inmenso

1. círculo
2. enorme
3. plataforma
4. tocar Marte
5. dar dirección
6. tocar la luna
7. estación

E. Escribir una lista de palabras relacionadas con:

1. "La exploración espacial"
2. "Los planetas"

F. Contestar cierta o falsa:

1. Va a ser posible mandar vehículos tripulados al planeta Marte.
2. El vehículo va a usar energía atómica para la propulsión.
3. La primera parte del vehículo va a ser reusable.
4. La exploración de Marte va a basarse en la luna.
5. La visita a Marte por el hombre está programada para el año 2000.

G. Responder:

1. ¿Van a mandar vehículos tripulados o sin tripulación al planeta Marte?
2. ¿La propulsión va a ser por energía atómica o normal?
3. ¿La primera o la segunda etapa del vehículo va a ser reutilizable?
4. ¿La exploración del planeta va a hacerse desde una órbita, desde la superficie, o las dos?
5. ¿La visita está programada para el año dos mil o tres mil?

H. Contestar/discutir:

1. ¿Qué van a mandar al planeta Marte?
2. ¿Qué energía van a usar en el sistema de propulsión?
3. ¿Qué va a ser reusable?
4. ¿Desde dónde van a hacer la exploración?
5. ¿Para cuándo está programado el viaje de exploración?

41

Clave

Derivado: negar – negativo – negación
Expansión: o←→ue: morir – mortal – muerte
Cambio: x←→j: reflejar – reflejo – reflexión
Sinónimo: tal vez = posiblemente
principio = iniciación

¿CUANDO LLEGA LA MUERTE?
Una decisión difícil

¿Cuándo llega realmente *la muerte (1)*? ¿Cuándo se puede decir que un *ser humano (2)* está real y verdaderamente muerto? Para *decretar (3)* el momento de la "muerte médica" deben coincidir varios factores: *paro (4)* de la circulación sanguínea durante diez minutos; inmovilidad de las pupilas durante *cuarenta y cinco (5)* minutos; encefalograma sin reacción durante seis horas.

Es decir ¿es que uno está muerto si en el cadáver hay *reflejos (6)* de algunos órganos aunque hay evidencia de muerte cerebral? ¿Y cuándo muere *el alma (7)* si es verdad que *cesa de existir (8)* también? Tal vez son preguntas que no pueden contestarse.

Blanco y Negro

1. la muerte
   a. el final de la vida
   b. el principio de la vida
   c. el comienzo de la vida
   d. el origen de la vida

2. ser humano –
   por ejemplo . . .
   a. un hombre
   b. una mujer
   c. un niño
   d. a, b y c

3. decretar
   a. rehusar
   b. decidir
   c. no aceptar
   d. negar

4. paro
   a. naturalización
   b. suspensión
   c. bendición
   d. admiración

5. cuarenta y cinco
   a. 4 y 5
   b. 45
   c. 450
   d. 4,5

6. reflejos
   a. reacciones
   b. funcionamiento
   c. presencia de vida
   d. a, b y c

7. alma
   a. conciencia
   b. espíritu
   c. instinto
   d. a, b y c

8. cesa de existir
   a. comienza
   b. termina
   c. continúa
   d. finaliza

9. ¿Qué se aprende en este artículo?
   a. Es difícil determinar el instante de la muerte.
   b. No se sabe el momento exacto en que termina la vida.
   c. Cuando el cerebro está muerto puede haber reacciones fisiológicas.
   d. a, b y c

10. ¿Quién decide si alguien está real y verdaderamente muerto?
   a. El alma.
   b. Un médico.
   c. Un cadáver.
   d. El ser humano.

Indicar la dificultad: fácil----A B C D E----difícil
Indicar su interés en el tema: interesante----A B C D E----no interesante

EJERCICIOS

A. Completar de memoria:
1. re __ l
2. moment __
3. f __ ctor
4. c __ rculación
5. __ inuto

6. p __ pila
7. cad __́ ver
8. órg __ nos
9. verd __ d
10. c __ nco

B. Cambiar a infinitivos:
1. llega
2. está
3. deben
4. hay
5. muere

a substantivos:
1. morir
2. circular
3. reaccionar
4. reflejar
5. preguntar

C. Indicar sinónimos:
1. hombre
2. decidir
3. suspender
4. reacción
5. espíritu

Antónimos:
1. comenzar
2. aceptar
3. final
4. vida
5. inmovilidad

D. Eliminar uno:
1. principio / comienzo / final
2. vivo / muerto / cadáver
3. alma / espíritu / origen
4. rehusar / aceptar / negar
5. completamente / realmente / verdaderamente

E. Escribir una lista de:
1. adverbios en -mente (2)
2. verbos en infinitivo (4)
3. substantivos en forma plural (8)
4. preposiciones (4)

F. Contestar cierta o falsa:
1. La muerte es el final de la vida.
2. Es fácil saber cuando uno está muerto.
3. Hay tres factores que determinan "la muerte médica".
4. Un cadáver es un ser humano sin reflejos.
5. El alma es el espíritu de una persona.

G. Responder:
1. ¿La muerte es el comienzo o el final de la vida?
2. ¿Es difícil o fácil determinar el momento de la muerte?
3. ¿Hay dos o tres factores que determinan "la muerte médica"?
4. ¿Un cadáver es un ser humano sin reflejos o con reacciones?
5. ¿El alma o el médico es el espíritu de una persona?

H. Contestar/discutir:
1. ¿Qué es la muerte?
2. ¿Cuándo llega la muerte?
3. ¿Cuántos factores determinan "la muerte médica"?
4. ¿Qué es un cadáver?
5. ¿Qué es el alma?

Clave

Derivado: raza – racial
destinar – destino – destinado
atraer – atracción
Sinónimo: sobre = en
Cambio: g ↔ j: extranjero
Antónimo: nativo ≠ extranjero

APARTHEID
La segregación racial

Educar a los negros para creer que viven en el mejor de los mundos posibles; convencerlos de que nada puede modificar su status quo. Estos son los dos pilares en que se basa el apartheid, la segregación racial practicada en Sud Africa.

Los objetivos de esta filosofía son la superexplotación de los negros para garantizar el progreso del país, facilitar la acumulación de capital, atraer la *inversión (1)* de otros países y mantener el *nivel (2)* de vida de los blancos.

¿Cómo se vive en el apartheid? Es como ser *extranjero (3)* en su tierra. Los negros deben vivir en las reservas llamadas bantustanes a donde, según su color, están *destinados (4)* cuando son niños y de donde solamente pueden salir con pases especiales y a determinadas horas del día.

Blanco y Negro

1. inversión
a. turismo
b. visitas
c. capital
d. excursión

2. nivel
a. cualidad
b. importancia
c. forma
d. a, b y c

3. extranjeros
a. gente de otras naciones
b. líderes locales
c. jefes regionales
d. directores provincianos

4. destinados
a. designados
b. comprados
c. pagados
d. invertidos

5. ¿Qué se aprende en este artículo?
a. La condición de los negros en Sud Africa está mejorando.
b. La gente negra de la República Sudafricana vive bajo la represión.
c. Para sobrevivir en Sud Africa, los negros tienen que invertir dinero en el país.
d. El apartheid es una filosofía política basada en el terrorismo y la exterminación.

Indicar la dificultad: fácil----A B C D E----difícil
Indicar su interés en el tema: interesante----A B C D E----no interesante

EJERCICIOS

A. Completar de memoria:

1. ed __ car
2. n __ gro
3. m __ ndo
4. modific __ r
5. p __ lar

6. segr __ gación
7. ob __ etivo
8. progres __
9. res __ rva
10. c __ lor

B. Cambiar a infinitivos:

1. viven
2. puede
3. basa
4. deben
5. están

a substantivos:

1. reservar
2. mejorar
3. segregar
4. explotar
5. acumular

C. Indicar sinónimos:

1. apartheid
2. cualidad
3. convencer
4. permiso
5. bantustán

Antónimos:

1. blanco
2. dificultar
3. repulsar
4. adulto
5. peor

D. Definir:

_____ modificar

_____ segregación

_____ objetivo

_____ garantizar

_____ bantustán

1. separar
2. propósito
3. asegurar
4. progreso
5. cambiar
6. paz
7. reserva

E. Escribir una lista de palabras relacionadas con:

1. "El apartheid"
2. "Bantustán"

F. Contestar cierta o falsa:

1. El apartheid es una filosofía basada en la democracia.
2. En Sud Africa, se practica la segregación racial.
3. El propósito del apartheid es mantener separadas las razas.
4. Los blancos viven en sectores del país llamados bantustanes.
5. Los negros son explotados para garantizar el progreso del país.

G. Responder:

1. ¿El apartheid se basa en la democracia o en la segregación?
2. ¿Se practica o se prohibe la segregación racial en Sud Africa?
3. ¿Es el propósito del apartheid reunir o separar las razas?
4. ¿Los blancos o los negros viven en sectores del país llamados bantustanes?
5. ¿Son explotados los negros para garantizar o modificar el progreso del país?

H. Contestar/discutir:

1. ¿En qué se basa el apartheid?
2. ¿Qué es el apartheid?
3. ¿Cuáles son los objetivos de esta filosofía?
4. ¿Dónde viven los negros?
5. ¿Qué cree Vd. de esta filosofía?

Clave

Derivado: poblar – población
Sinónimo: continuar = seguir
               alojamiento = vivienda
Expansión: e ⟷ ie: recomendar – recomienda
               o ⟷ ue: dormir – duerme

COMO VIVE EL PUEBLO CHINO
Una diferencia cultural

La República Popular de China, el país que contiene una población de más de 750 millones de habitantes, casi la cuarta parte de la población total del mundo, vive en algunos aspectos, *apartada (1)*.

En China no se admiten *propinas (2)* en los restaurantes. Los hombres no deben casarse antes de los veintisiete años, y las mujeres, antes de los veinticinco. El Estado recomienda un máximo de dos hijos para las familias, y el ignorar estas recomendaciones está *mal visto (3)* por las autoridades comunistas. Las viviendas son de tipo *sencillo (4)*, los *alquileres (5)* son módicos, y nadie duerme en la calle. La *ropa (6)* es poco atractiva, pero no falta.

El gobierno chino practica una política de *pleno (7)* empleo y en ocasiones se crean puestos de trabajo que en realidad no son necesarios.

El arroz, la comida básica de todo el oriente, sigue racionado todavía, aunque hay otros *alimentos (8)* que se venden libremente.

Blanco y Negro

1. apartada –es decir...
a. de otra manera
b. exactamente como el resto del mundo
c. modernamente
d. influída por otros países

2. propina
a. remuneración de actos
b. gratificación de un servicio
c. dinero ofrecido extra
d. a, b y c

3. mal visto – es decir...
a. les gusta
b. no les gusta
c. no les importa
d. es aceptado

4. sencillo – sin...
a. elegancia
b. adornos
c. ornamentos
d. a, b y c

5. alquileres – el precio de...
a. los coches
b. los apartamentos
c. la vestimenta
d. la comida

6. ropa
a. pantalones
b. blusas
c. chaquetas
d. a, b y c

7. pleno
a. total
b. moderado
c. limitado
d. poco

8. alimentos –por ejemplo...
a. frutas
b. motocicletas
c. adolescentes
d. pantalones

9. ¿Qué se puede concluir de China en este artículo?
a. No hay desempleo.
b. Hay pocos jóvenes casados.
c. No falta alojamiento.
d. a, b y c

10. ¿Qué impresión da este artículo de la gente china?
a. Tiene tanta libertad como nosotros.
b. Es bastante revolucionaria.
c. No le faltan las cosas básicas de la vida.
d. Es pobre y miserable.

Indicar la dificultad: fácil----A B C D E----difícil
Indicar su interés en el tema: interesante----A B C D E----no interesante

EJERCICIOS

A. Completar de memoria:

1. po __ lación
2. habita __ te
3. a __ pecto
4. r __ staurante
5. famili __

6. recom __ ndación
7. rop __
8. g __ bierno
9. polític __
10. __ riente

B. Cambiar a infinitivos:

1. contiene
2. admiten
3. sigue
4. falta
5. crean

a substantivos:

1. poblar
2. habitar
3. recomendar
4. alquilar
5. emplear

C. Indicar sinónimos:

1. gratificación
2. vivienda
3. completo
4. empleo
5. simple

Antónimos:

1. alguien
2. divorciarse
3. aceptado
4. limitado
5. elegante

D. Eliminar uno:

1. población / habitante / ropa
2. admitir / requerir / permitir
3. vivienda / puesto / apartamento
4. complicado / sencillo / básico
5. comida / alimento / trabajo

E. Escribir una lista de palabras relacionadas con:

1. "El pueblo chino"
2. "La ropa"

F. Contestar cierta o falsa:

1. La República Popular de China es una de las naciones más habitadas del mundo.
2. Hay que ofrecer propinas en los restaurantes.
3. El estado recomienda familias de sólo dos hijos.
4. Las casas son elegantes.
5. El gobierno practica una política de empleo parcial.

G. Responder:

1. ¿Es China una nación con muchos o pocos habitantes?
2. ¿Es obligatorio o está prohibido dar propinas en los restaurantes?
3. ¿El estado recomienda familias limitadas o numerosas?
4. ¿Las viviendas son sencillas o elegantes?
5. ¿El gobierno practica el empleo parcial o completo?

H. Contestar/discutir:

1. ¿Cómo es China?
2. ¿Cómo es la vida allí?
3. ¿Cómo son las familias?
4. ¿Cómo son las casas?
5. ¿En qué es diferente China de los EEUU?

Clave

Derivado: mente – mental
                astro – astronomía
Expansión: e ↔ ie: referir – refiere – referencia
                o ↔ ue: fuerza – forzar
Cambio: v ↔ b: gobierno
Prefijo: pre- = ante: predecir

LA ASTROLOGIA
Una ciencia misteriosa

La doctrina de la antigua ciencia de la astrología divide el espacio en cuatro elementos fundamentales: la tierra, el agua, el *fuego (1)* y el aire. Cada elemento ejerce una influencia sobre el individuo. Por ejemplo, la tierra representa la realidad y los realistas; el agua se relaciona con la fantasía y la imaginación, y con los *sueños (2)* y la percepción. El fuego está relacionado con los deseos, los ideales y las acciones. El aire se refiere a la *mente (3)*, a la inspiración y a todo el aspecto intelectual.

Los astrólogos *tratan de (4)* predecir el futuro. Usan la influencia que los elementos tienen en el hombre en relación con la energía de su signo del zodíaco y la posición de los planetas y otros astros. Creen que el signo del zodíaco gobierna la personalidad; piensan que la combinación de todo—elementos, planetas, signo—define el carácter del individuo en cada momento de su vida.

La Luz

1. fuego
  a. combustión
  b. cinc
  c. cobre
  d. aluminio

2. sueños
  a. ilusiones
  b. dimensiones
  c. configuraciones
  d. formas

3. mente
  a. transportación
  b. inteligencia
  c. movimiento
  d. circulación

4. tratan de
  a. quieren
  b. intentan
  c. desean
  d. a, b y c

5. ¿Qué se aprende en este artículo?
  a. La astrología, una ciencia relativamente nueva, es aparentemente exacta en la predicción del futuro.
  b. Los planetas se dividen en cuatro grupos: grandes, pequeños, combustibles y habitados.
  c. El signo del zodíaco es maligno y una indicación del momento en que termina la vida.
  d. Los astrólogos dicen que es posible usar las fuerzas que influyen en el hombre para pronosticar su mañana.

Indicar la dificultad: fácil----A B C D E----difícil
Indicar su interés en el tema: interesante----A B C D E----no interesante

EJERCICIOS

A. Completar de memoria:
1. d __ ctrina
2. __ spacio
3. ind __ viduo
4. f __ ntasía
5. des __ o
6. a __ __ ión
7. __ uturo
8. si __ no
9. __ odíaco
10. c __ rácter

B. Cambiar a infinitivos:
1. divide
2. ejerce
3. gobierna
4. refiere
5. define

a substantivos:
1. influir
2. imaginar
3. soñar
4. inspirar
5. combinar

a derivados en -ión:
1. transportar
2. circular
3. configurar
4. indicar
5. percibir

C. Indicar sinónimos:
1. combustión
2. ilusión
3. inteligencia
4. intentar
5. carácter

Antónimos:
1. unir
2. grupo
3. realidad
4. decir después
5. pasado

D. Eliminar uno:
1. cobre / cinc / fuego
2. movimiento / momento / minuto
3. relacionar / predecir / pronosticar
4. querer / desear / controlar
5. aire / espacio / tierra

E. Escribir una lista de palabras relacionadas con:
1. "La astrología"
2. "Los sueños"

F. Contestar cierta o falsa:
1. La astrología divide el espacio en catorce elementos fundamentales.
2. Ningún elemento ejerce influencia sobre el individuo.
3. La tierra representa la fantasía.
4. Los astrólogos intentan resumir el pasado.
5. El signo del zodíaco define el carácter de la personalidad.

G. Responder:
1. Según la astrología, ¿se divide el espacio en cuatro o catorce elementos?
2. ¿Algún elemento o ninguno influye sobre el individuo?
3. ¿Representa la tierra la fantasía o la realidad?
4. ¿Tratan los astrólogos de predecir el futuro o de resumir el pasado?
5. ¿Define el signo del zodíaco la personalidad o la apariencia?

H. Contestar/discutir:
1. ¿En qué se divide el espacio, según la astrología?
2. ¿Cuál es la importancia de cada elemento?
3. ¿Cuál es el propósito de la astrología?
4. ¿Qué importancia tiene la posición de los planetas y los astros?
5. ¿De qué signo del zodíaco es usted? ¿Qué características están relacionadas con su carácter o personalidad?

Clave

Gramática: -ndo = en progreso: olvidar – olvidando
   -ense   estadounidense
Sufijo: -ano   = persona de: colombiano
   -eño   panameño
Antónimo: mejor ≠ peor
   occidental ≠ oriental
Sinónimo: vocablo = palabra

AMERICANOS
Los dos hemisferios

En los EEUU mucha gente cree que la palabra "americano" refiere sólo a los habitantes de los Estados Unidos. La gente *olvida (1)* que un *esquimal (2),* un canadiense, un colombiano, y un mexicano también son americanos. También la gente cree que la palabra "norteamericano" se aplica solamente a los habitantes de los EEUU, olvidando que México forma parte de Norte América, tanto como Canadá.

En realidad la palabra "americano" tiene dos significados: 1) se usa esta palabra para referirse solamente a los estadounidenses; 2) se refiere a una persona del *hemisferio occidental (3).* El problema está en que la gente de los Estados Unidos no tiene un título especial, y resulta muy largo decir "estadounidenses". Por eso es conveniente llamarlos "americanos". También existen las palabras *"gringo" (4)* y "yanqui", pero en muchos países se usan estas palabras con tono *peyorativo (5)*; no son palabras muy favorables.

Adaptado de *A Structural Course in Spanish*

1. olvida
   a. no recuerda
   b. no sabe
   c. no tiene memoria
   d. a, b y c

2. esquimal –
   hombre de/del . . .
   a. Australia
   b. Artico
   c. Africa
   d. Argentina

3. hemisferio occidental

4. gringo – nombre con que se designa a los . . .
   a. costarricenses
   b. peruanos
   c. panameños
   d. estadounidenses

5. peyorativo
   a. positivo
   b. despectivo
   c. favorable
   d. de valor y aprecio

6. El que dice "Soy americano" al contestar la pregunta, "¿De dónde es Vd.?" . . .
   a. posiblemente es estadounidense.
   b. ignora el doble sentido de la palabra.
   c. es un habitante de las dos Américas.
   d. a, b y c

7. Si un latinoamericano se refiere a alguien llamándolo "gringo" o "yanqui", con toda probabilidad, cree . . .
   a. que es latinoamericano.
   b. que es amigo de los hispanoamericanos.
   c. que las palabras significan dos cosas.
   d. que es estadounidense.

Indicar la dificultad: fácil----A B C D E----difícil
Indicar su interés en el tema: interesante----A B C D E----no interesante

EJERCICIOS

A. Completar de memoria:

1. g __ nte
2. pal __ bra
3. habitant __
4. col __ mbiano
5. p __ rte

6. american __
7. t __́ tulo
8. c __ nveniente
9. t __ no
10. __ anqui

B. Cambiar a infinitivos:

1. cree
2. se refiere
3. olvida
4. se aplica
5. forma

a substantivos:

1. habitar
2. significar
3. titular
4. preguntar
5. partir

C. Indicar sinónimos:

1. no recordar
2. no saber
3. nombre
4. gringo
5. aplicar

Antónimos:

1. oriente
2. peor
3. negativo
4. favorable
5. ignorar

D. Definir:

_____ hemisferio

_____ título

_____ palabras

_____ habitante

_____ solamente

1. división
2. ciudadano
3. nombre
4. gringo
5. exclusivamente
6. largo
7. vocabulario

E. Completar:

1. Perú – peruano
2. Colombia –
3. Canadá –
4. Panamá –
5. Bolivia –

6. Estados Unidos –
7. México –
8. El Salvador –
9. Costa Rica –
10. Cuba –

F. Contestar cierta o falsa:

1. La palabra "americano" se refiere a gente de dos hemisferios.
2. México forma parte de Norte América.
3. Un estadounidense es de los Estados Unidos.
4. Hay un título especial para la gente de los EEUU.
5. La palabra "gringo" es un vocablo despectivo.

G. Responder:

1. ¿La palabra "americano" se refiere a gente de un solo hemisferio o de dos?
2. ¿México es una parte de Norte América o de Centro América?
3. ¿Un estadounidense es de los Estados Unidos o de Canadá?
4. ¿Hay un título especial para la gente de Costa Rica o de los EEUU?
5. ¿La palabra "gringo" tiene un tono positivo o despectivo?

H. Contestar/discutir:

1. ¿A quién se refiere la palabra "americano"?
2. ¿Cuáles son los países de Hispanoamérica?
3. ¿Cómo se llaman los habitantes de los otros países del hemisferio occidental? ¿del oriental?
4. Diga dos palabras de tono despectivo para los americanos.
5. ¿De qué país son sus padres? ¿sus abuelos? ¿Vd.?

Clave

Prefijo: des- = contrario: desafortunadamente
Cambio: c ↔ g: asegurar – seguro – seguridad
Sufijo: -miento = acto de: envenenar – veneno – envenenamiento

NIÑOS Y ACCIDENTES EN EL HOGAR
Causas y soluciones

Es necesario comprender algo importante y fundamental para *asegurar (1)* la vida de los niños pequeños. Primero, los niños son activos y curiosos. Segundo, ellos no tienen un buen sentido del equilibrio ni *miedo (2)*. Tercero, desafortunadamente el *hogar (3)* presenta muchos *peligros (4)*, peligros que un adulto puede *evitar (5)*, pero que para un niño pueden ser serios.

Pero es posible tener un hogar donde el niño puede vivir con *seguridad (6)*. Es importante pensar en las causas principales de los accidentes y también en las soluciones. Las causas de los accidentes se clasifican, principalmente en los grupos siguientes:

1) *caídas serias (7)*, golpes, y ataques de animales
2) asfixia y estrangulación
3) *envenenamiento (8)*
4) incendios y choques eléctricos

¿Y las soluciones?

Dept. of Health Education and Welfare

1. asegurar
a. garantizar
b. intimidar
c. amenazar
d. desanimar

2. miedo
a. terror
b. felicidad
c. satisfacción
d. humor

3. hogar – por ejemplo...
a. un apartamento
b. una casa
c. una residencia
d. a, b y c

4. peligros –
algo que causa...
a. un problema
b. algo cómico
c. un episodio romántico
d. una comedia

5. evitar
a. buscar
b. encontrar
c. inventar
d. eludir

6. con seguridad – con...
a. impedimentos
b. dificultades
c. tranquilidad
d. obstáculos

7. caídas serias – accidentes, por ejemplo de...
a. un árbol
b. una montaña
c. bicicleta
d. a, b y c

8. envenenamiento – algo destructivo como...
a. el agua
b. el ácido
c. coca cola
d. chocolate

9. ¿Cuál es el propósito de este artículo?
a. Vender un libro informativo sobre la manera de tener un animal en su casa con pocos problemas.
b. Informar a un arquitecto de la necesidad de organizar su casa.
c. Explicar algunos beneficios de vivir en un edificio.
d. Llamar la atención del público sobre el gran número de accidentes que ocurren en casa que, a veces, afectan la vida de un niño.

10. Según el artículo, ¿dónde puede vivir un niño en calma, paz y serenidad?

    a. Donde la familia intenta ofrecer protección.

    b. Donde todos ignoran al niño.

    c. Donde hay muchos animales salvajes y serpientes.

    d. Donde se encuentran muchos productos industriales en forma de carbón, petróleo, y gas.

Indicar la dificultad: fácil----A B C D E----difícil

Indicar su interés en el tema: interesante----A B C D E----no interesante

EJERCICIOS

A. Completar de memoria

1. f __ ndamental
2. v __ da
3. __ ctivo
4. equil __ brio
5. adult __
6. __ osible
7. ca __ sa
8. s __ lución
9. ata __ ue
10. __ nimal

B. Cambiar a infinitivos:

1. presenta
2. clasifican
3. tienen
4. pueden
5. asfixia

a substantivos:

1. atacar
2. envenenar
3. encender
4. chocar
5. causar

a derivados en –ión:

1. organizar
2. proteger
3. solucionar
4. comprender
5. estrangular

C. Indicar sinónimos:

1. garantizar
2. terror
3. casa
4. eludir
5. tranquilidad

Antónimos:

1. solución
2. peligro
3. grande
4. niño
5. buscar

D. Definir:

_____ ácido

_____ primero

_____ pensar

_____ accidente

_____ golpe

1. número
2. contusión
3. causar
4. algo tóxico
5. la electricidad
6. usar la inteligencia
7. una caída, por ejemplo

E. Escribir una lista de palabras relacionadas con:

1. "Los accidentes en casa"
2. "Los niños"

F. Contestar cierta o falsa:

1. Es importante saber proteger a los niños en casa.
2. Los niños son activos y curiosos.
3. El hogar presenta mucho peligro para los adultos.
4. Los adultos no tienen un buen sentido del equilibrio.
5. El accidente de mayor frecuencia en casa es la caída.

G. Responder:
   1. ¿Es importante asegurar o estrangular a los niños en casa?
   2. ¿Los niños son pasivos o activos, normalmente?
   3. ¿El hogar presenta más peligros para los niños o para los adultos?
   4. ¿Los niños o los adultos no tienen un buen sentido del equilibrio?
   5. ¿La caída o el choque eléctrico es la causa principal de accidentes entre los niños?

H. Contestar/discutir:
   1. ¿Qué es importante hacer para los niños en casa?
   2. ¿Cómo son los niños pequeños, en general?
   3. ¿Cuáles son las causas principales de accidentes en el hogar?
   4. ¿Ha tenido Vd. un accidente en su casa?
   5. ¿Cuál es la mejor manera de evitar los accidentes en casa o en la calle?

Clave

Derivado: leer – lector – lectura
dirigir – dirigido – dirección
Cambio: s ↔ x: extranjero
Antónimo: extranjero ≠ nativo

"MASS MEDIA"
Una definición de términos

La importación de palabras técnicas *extranjeras (1)* al español es algo muy frecuente. No sólo llega la tecnología; también llega su terminología. Normalmente son palabras inglesas de origen norteamericano. El inglés—el idioma—tiene una posibilidad de síntesis verdaderamente notable. Una de estas expresiones *de éxito (2)* es "mass media". Es un *término (3)* inventado por los *publicitarios (4)*. Es una combinación de inglés y latín. La palabra "mass" es anglosajona y significa masa. La latina "media" es el plural de "medium" que equivale a *"medio" (5)*. "Mass media" entonces es un resumen de la expresión "medios de comunicación de las masas". Es un medio de comunicación que no está dirigido a una *determinada (6)* categoría del público; es aceptado por todos, sin distinciones.

No se consideran "mass media" las publicaciones especializadas, los periódicos deportivos, o los juveniles que van dirigidos a un tipo de lector determinado. "Mass media" son todos los vehículos propagandísticos—la televisión, el radio, el cinematógrafo, los *carteles (7)* de las calles, y los periódicos de contenido general—que llegan a un amplio e *indiferenciado (8)* sector del público.

Blanco y Negro

1. extranjeras – de otras...
a. culturas
b. naciones
c. gentes
d. a, b y c

2. de éxito – en otras palabras...
a. populares
b. poco frecuentes
c. menos usadas
d. raras

3. término
a. instrumento
b. expresión
c. aparato
d. máquina

4. publicitarios –
los hombres
que escriben...
a. poesía
b. música
c. propaganda
d. novelas

5. medio
a. manera
b. pueblo
c. trabajo
d. ciudad

6. determinada
a. grande
b. vasta
c. extensa
d. limitada

7. carteles
a. letreros
b. anuncios
c. avisos
d. a, b y c

8. indiferenciado
a. activo
b. inteligente
c. entusiasmado
d. pasivo

9. ¿Que se aprende en este artículo?
   a. "Mass media" es una expresión italiana.
   b. "Mass media" sólo llega a una parte limitada de la gente.
   c. Las expresiones como "mass media" son una síntesis de conceptos más extensos.
   d. Muchas palabras españolas entran en el inglés.

10. Según el artículo, ¿cuál de las siguientes revistas representa "mass media"?
   a. Sports Illustrated.
   b. Holiday.
   c. Time.
   d. True Confessions.

Indicar la dificultad: fácil----A B C D E----difícil
Indicar su interés en el tema: interesante----A B C D E----no interesante

EJERCICIOS

A. Completar de memoria:
   1. import __ ción
   2. espa ~ ol
   3. i __ glesa
   4. idiom __
   5. s ´ ntesis
   6. lat ´ n
   7. plur__l
   8. r __ sumen
   9. p ´ blico
   10. ve __ ículo

B. Cambiar a infinitivos:
   1. inventado
   2. dirigido
   3. determinado
   4. aceptado
   5. limitado

   a substantivos:
   1. importar
   2. combinar
   3. expresar
   4. resumir
   5. comunicar

C. Indicar sinónimos:
   1. expresión
   2. manera
   3. determinado
   4. anuncio
   5. pasivo

   Antónimos:
   1. campo
   2. frecuente
   3. activo
   4. sudamericano
   5. limitado

D. Eliminar uno:
   1. inglés / latín / anglosajón
   2. calle / aparato / instrumento
   3. lector / aviso / letrero
   4. palabra / término / público
   5. síntesis / expresión / resumen

E. Escribir una lista de palabras relacionadas con:
   1. "La publicidad"
   2. "Mass media"

F. Contestar cierta o falsa:
   1. Pocas palabras técnicas de otras naciones entran en el español.
   2. La mayoría de las palabras nuevas son de origen sudamericano.
   3. "Mass media" quiere decir medios de comunicación de las masas.
   4. Un ejemplo de "mass media" es un periódico dirigido a un público limitado.
   5. La televisión es un ejemplo de "mass media".

G. Responder:

1. ¿Muchas o pocas palabras técnicas extranjeras llegan al español?
2. ¿La mayoría de estos vocablos son de origen sudamericano o norteamericano?
3. ¿"Mass media" quiere decir medios de comunicación o medios de locomoción de las masas?
4. ¿"Mass media" llega a una parte limitada de la sociedad o a toda la gente?
5. ¿La televisión o un periódico para un público determinado es un ejemplo de "mass media"?

H. Contestar/discutir:

1. ¿Cuántas palabras extranjeras llegan al español? ¿al inglés?
2. ¿Cuál es el origen de estas palabras?
3. ¿Qué quiere decir "mass media"?
4. ¿Quién es el público al que está dirigido?
5. ¿Cuáles son algunos ejemplos de "mass media"?

Clave

Derivado: permanecer – permanente – permanencia
evitar – inevitable
Cambio: d ←→ t: nadar – nadador – natación
Sinónimo: atravesar = cruzar

PRECAUCION
Accidentes en el agua

Para *evitar (1)* accidentes que pueden ser irreparables, los bañistas que desean *gozar (2)* del agua en el océano, ríos, o piscina durante la *época estival (3)* deben observar las siguientes *reglas (4)* para su propia seguridad:

1. No bañarse durante la digestión (esperar dos horas y media después de cada comida).
2. No *meterse (5)* en el agua después de tomar mucho el sol, ni tampoco en agua demasiado fría.
3. El primer baño del día debe ser breve y con alguien.
4. No *permanecer (6)* en el agua durante mucho tiempo, especialmente después de sentirse mal.
5. No bañarse en cuevas ni en lugares solitarios.
6. No atravesar los ríos *a nado (7)* si no es experto nadador, por el peligro que resulta de las corrientes.
7. Comprender cómo se practica la respiración artificial, en especial en el método "boca a boca". Este puede salvar la vida de un bañista con síntomas de asfixia.

Blanco y Negro

1. evitar
a. causar
b. prevenir
c. motivar
d. organizar

2. gozar de
a. divertirse en
b. examinar
c. estudiar
d. observar

3. la época estival
a. la primavera
b. el verano
c. el otoño
d. el invierno

4. reglas
a. avisos
b. sugerencias
c. normas
d. a, b y c

5. meterse
a. subir
b. ascender
c. entrar
d. escalar

6. permanecer
a. estar
b. bañarse
c. nadar
d. a, b y c

7. a nado
a. en el agua
b. corriendo
c. caminando
d. hablando

8. ¿Cuál es el tema de este artículo?
a. Una enfermedad de los niños.
b. El atleta más popular de una nación.
c. Un diagnóstico grave.
d. La protección del individuo.

9. Según el artículo, ¿cuál de los siguientes no debe practicarse?

   a. El comer y nadar inmediatamente después.

   b. Siempre bañarse con un compañero en piscinas públicas.

   c. Aprender los síntomas de asfixia.

   d. Bañarse donde el agua está tibia y pacífica.

10. ¿A quién cree Vd. que está dirigido este artículo?

   a. A los niños.

   b. A los jóvenes.

   c. A los adultos.

   d. A todo el mundo.

Indicar la dificultad: fácil----A B C D E----difícil

Indicar su interés en el tema: interesante----A B C D E----no interesante

EJERCICIOS

A. Completar de memoria:

1. a __ __ idente
2. __ céano
3. segur __ dad
4. diges __ ión
5. s __ l
6. br __ ve
7. s __ litario
8. expert __
9. r __ spiración
10. mé __ odo

B. Cambiar a infinitivos:

1. desean
2. deben
3. puede
4. resulta
5. práctica

a substantivos:

1. bañar
2. digerir
3. nadar
4. respirar
5. asfixiar

a derivados en -ndo:

1. nadar
2. correr
3. caminar
4. hablar
5. salvar

C. Indicar sinónimos:

1. prevenir
2. divertirse
3. verano
4. normas
5. entrar

Antónimos:

1. irreparable
2. primavera
3. durante
4. niño
5. nadie

D. Eliminar uno:

1. nadar / gozar / bañarse
2. salir / entrar / meterse
3. piscina / vida / río
4. bañista / corriente / nadador
5. estar / salir / permanecer

E. Escribir una lista de palabras relacionadas con:

1. "La natación"
2. "El clima"

F. Contestar cierta o falsa:

1. Es posible bañarse en el océano, los ríos y las piscinas.
2. Uno debe bañarse después de comer.
3. El primer baño del día debe ser largo.
4. Es bueno bañarse con alguien.
5. La respiración artificial puede salvar a alguien con síntomas de asfixia.

G. Responder:
   1. ¿Es posible o imposible bañarse en el océano?
   2. ¿Uno debe bañarse inmediatamente después de comer o después de unas horas?
   3. ¿El primer baño del día debe ser breve o largo?
   4. ¿Es bueno bañarse con alguien o solo?
   5. ¿La respiración artificial o la corriente del agua puede salvar a alguien con síntomas de asfixia?

H. Contestar/discutir:
   1. ¿Dónde se puede ir a nadar?
   2. ¿Cuál es la relación entre comer y nadar o nadar y comer?
   3. ¿Qué se recomienda con respecto al primer baño del día?
   4. ¿Cuál es la regla de seguridad más importante?
   5. ¿Le gusta nadar? ¿Dónde se baña? ¿Cuándo y con quién?

Clave

Sufijo: -ista = profesión: feminista
-or dirigir – dirección – director
-nte = persona: negociar – negocio – negociante
-do emplear – empleo – empleado

Sinónimo: éxito = triunfo

LA MUJER QUE TRABAJA
Emancipación en Hispanoamérica

Las mujeres que trabajan fuera de casa en México no son tan visibles como en los Estados Unidos. Están allí, pero es mucho más difícil encontrarlas. Hoy en México hay mujeres que son doctoras, administradoras, científicas, trabajadoras sociales, maestras, y dentistas.

Pero las mujeres mexicanas no necesitan ni quieren la libertad extrema de los grupos feministas de los Estados Unidos. Es difícil ser *mujer de negocios (1)* en un país latino, donde el *papel (2)* tradicional de la mujer es el de esposa, madre, y ama de casa. En los negocios, la mujer tiene que limitar su feminidad a veces y ser muy *dura (3)*.

Pero algunas mujeres están en los negocios, y con *éxito (4),* por ejemplo, la señora Doris Morales, directora de un negocio en la capital de México que vende automóviles y emplea a 98 personas. Ella trabaja desde las 8:30 de la mañana hasta las 9 de la noche; *dirige (5)* a los empleados, habla con los clientes, controla el dinero que entra y sale, trabaja en relaciones públicas e industriales, hace decisiones de importancia en la oficina, y contesta el teléfono en un español, inglés, y alemán perfectos.

¡Es evidente que la mujer latinoamericana puede ser un éxito en el mundo de los negocios!

La Luz

1. mujer de negocios
a. enfermera
b. comerciante
c. secretaria
d. mesera

2. el papel
a. el trabajo
b. la función
c. la responsabilidad
d. a, b y c

3. dura
a. fuerte
b. firme
c. rígida
d. a, b y c

4. éxito
a. triunfo
b. desgracia
c. calamidad
d. miseria

5. dirige – da . . .
a. alimento
b. comida
c. dirección
d. de comer

6. Si usted se encuentra con una mujer mexicana, probablemente ella es . . .
a. ama de casa.
b. una cliente.
c. una mujer de negocios.
d. una mujer extremada.

7. ¿Cuál de las siguientes ideas respecto a la mujer mexicana es **falsa**?
a. Es femenina.
b. Tiene que ser muy dedicada.
c. No entra nunca en el negocio.
d. Hace el papel tradicional de esposa y ama de casa.

8. ¿Cómo puede caracterizarse a Doris Morales?

    a. Es indecisa y sin ambición.

    b. Es médico dentista.

    c. Es lenta y tímida.

    d. Es inteligente y próspera.

Indicar la dificultad: fácil----A B C D E----difícil

Indicar su interés en el tema: interesante----A B C D E----no interesante

EJERCICIOS

A. Completar de memoria:

1. m __ jer
2. vis __ ble
3. doct __ ra
4. d __ ntista
5. lib __ rtad

6. __ sposa
7. n __ gocio
8. diner __
9. of __ cina
10. telé __ ono

B. Cambiar a infinitivos:

1. controla
2. necesitan
3. dirige
4. vende
5. contesta

a substantivos:

1. administrar
2. trabajar
3. liberar
4. negociar
5. dirigir

C. Indicar sinónimos:

1. comerciante
2. responsabilidad
3. rígida
4. triunfo
5. desear

Antónimos:

1. dentro
2. invisible
3. fácil
4. esclavitud
5. entrar

D. Definir

_____ científico

_____ esposa

_____ negocio

_____ cliente

_____ alemán

1. comercio
2. el que compra algo
3. idioma
4. empleo
5. aparato
6. un físico, por ejemplo
7. mujer

E. Escribir una lista de palabras relacionadas con:

1. "El papel de la mujer"
2. "Los grupos feministas"

F. Contestar cierta o falsa:

1. Hay muchas mujeres mexicanas que trabajan fuera de casa.
2. Son más visibles que sus hermanas de los EEUU.
3. Es fácil ser una mujer de negocios en un país latino.
4. El papel tradicional del hombre es ser ama de casa.
5. La señora Doris Morales es cliente de un negocio donde se venden automóviles.

G. Responder:

1. ¿Hay muchas o pocas mujeres mexicanas que trabajan fuera de casa?
2. ¿Son más o menos visibles que las mujeres de los EEUU?
3. ¿Es fácil o difícil ser una mujer de negocios en un país latino?
4. ¿El papel tradicional del hombre o de la mujer es ser ama de casa?
5. ¿La señora Doris Morales es cliente o directora de la empresa que vende automóviles?

H. Contestar/discutir:

1. ¿Cuántas de las mujeres mexicanas trabajan fuera de casa?
2. ¿En qué son iguales y diferentes las mujeres de los EEUU y las mexicanas?
3. ¿Qué problema tiene la mujer que no quiere hacer el papel tradicional en México?
4. ¿Cuál es el papel tradicional de la mujer?
5. ¿En su opinión, cuál es el papel más importante de la mujer?

Clave

Derivado: transportar – transporte – transportación
Expansión: o ⟷ ue: portal – puerta
Antónimo: también ≠ tampoco
bajar ≠ subir
Cambio: i ⟷ y: ayudar = asistir
Sufijo: -no = persona: ciudad – ciudadano
Cambio: j ⟷ ch: rechazar ≠ no aceptar
Gramática: se ve = está

LOS INVALIDOS
Dificultades en la vida diaria

En España hay cerca de millón y medio de personas que, por defectos de tipo físico o genético, no pueden *desempeñar (1)* una vida normal. Por ejemplo, el salir de casa para educarse o buscar trabajo presenta toda una serie de problemas. Los autobuses y otros vehículos de transporte público no tienen rampas ni puertas suficientemente anchas para recibir *sillas de ruedas (2)*. En la calle tampoco hay rampas para bajar o subir de la *acera (3)*. Los edificios públicos representan otro tipo de barrera. Hay cines, oficinas y bibliotecas sin rampas, sin *ascensor (4)* o con ascensor que no admite la silla, y las cabinas de teléfono son tan inaccesibles como el agua de las fuentes públicas.

Normalmente un inválido necesita una educación especial pero los centros de especialización son caros. Sin embargo, su educación es *imprescindible (5)* porque, como *carece (6)* de la *fuerza física (7)* para ganarse la vida, tiene que aprender a usar su inteligencia. Cuando un inválido asiste a una escuela normal, a veces se ve rechazado o convertido en curiosidad por su aspecto físico o porque los otros resienten tener que ayudarle a *desplazarse (8)*. Al terminar la educación tiene dificultades en encontrar trabajo en un mundo donde "se prefiere" emplear a los normales.

Los inválidos también son ciudadanos válidos. ¿Cuándo lo van a reconocer los otros sectores de la sociedad?

1. desempeñar
  a. vivir
  b. completar
  c. tener
  d. a, b y c

2. silla de ruedas

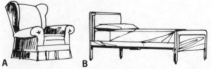 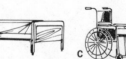 

A   B   C   D

3. acera – borde de la calle de . . .
  a. cemento
  b. plástico
  c. metal
  d. tisú

4. ascensor – aparato para
  a. lavar y secar
  b. ascender y descender
  c. abrir y cerrar
  d. entrar y salir

5. imprescindible
  a. importante
  b. innecesario
  c. imposible
  d. improbable

6. carece
  a. tiene
  b. posee
  c. falta
  d. usa

7. fuerza física
  a. capacidad
  b. dinero
  c. fondos
  d. renta

8. desplazarse
  a. trasladarse
  b. moverse
  c. transportarse
  d. a, b y c

9. ¿Qué se aprende en este artículo?

   a. Un inválido bien educado tiene garantizado un empleo al graduarse.

   b. Hay legislación en contra de la práctica de prejuicios en el empleo de los inválidos.

   c. Los obstáculos de tipo arquitectónico dificultan una vida ya difícil por definición.

   d. Hay escuelas especializadas en preparar mecánicos para reparar sillas de rueda.

10. ¿Cuál de los siguientes puede considerarse un "inválido"?

   a. Martin Luther King.

   b. Franklin D. Roosevelt.

   c. Robert Redford.

   d. Neil Armstrong.

Indicar la dificultad: fácil----A   B   C   D   E----difícil

Indicar su interés en el tema: interesante----A   B   C   D   E----no interesante

EJERCICIOS

A. Completar de memoria:

1. d __ fecto
2. gen _́ tico
3. ve __ ículos
4. r __ mpas
5. públ __ cos

6. c __ bina
7. inv _́ lido
8. intel __ gencia
9. __ specto
10. sect __ r

B. Cambiar a infinitivos:

1. presenta
2. asiste
3. representan
4. admite
5. necesita

a substantivos:

1. trabajar
2. rodar
3. educar
4. edificar
5. ascender

a derivados en -mente:

1. suficiente
2. normal
3. especial
4. difícil
5. fácil

C. Indicar sinónimos:

1. tener
2. importante
3. falta
4. capacidad
5. trasladarse

Antónimos:

1. descender
2. cerrar
3. salir
4. innecesario
5. improbable

D. Definir:

_____ trabajo

_____ autobús

_____ aspecto

_____ barrera

_____ caro

1. transportación pública
2. obstáculo
3. de precio alto
4. empleo
5. centro
6. apariencia
7. rampa

E. Escribir una lista de palabras relacionadas con:

1. "Las barreras"
2. "Los edificios"

69

F. **Contestar cierta o falsa:**
   1. La gente que tiene defectos físicos o genéticos tiene dificultades en encontrar empleo.
   2. Los vehículos públicos carecen de rampas.
   3. Normalmente un inválido necesita una educación especial.
   4. Los edificios públicos representan una barrera para los inválidos.
   5. Al inválido le falta la energía normal para ganarse la vida.

G. **Responder:**
   1. ¿Los inválidos tienen dificultad o facilidad en encontrar empleo?
   2. ¿Los vehículos públicos carecen de rampas o sillas?
   3. ¿Un inválido necesita una educación especial o normal?
   4. ¿Los edificios públicos representan una barrera o una solución para el inválido?
   5. ¿Le falta o le sobra la energía normal para ganarse la vida?

H. **Contestar/discutir:**
   1. ¿Qué es un inválido?
   2. ¿Qué problemas tiene?
   3. ¿Qué le falta?
   4. ¿Qué tipo de educación necesita, normalmente?
   5. ¿Cree Vd. que hay discriminación a favor de la gente "normal"?

GROUP III: Adds Present Perfect

Pages 72–108

Clave

Derivado: contar – contable – contabilidad
errar – error – erróneo
Gramática: *have* + -*ed* = ha + -do
-ndo = en progreso: ser – siendo
Cambio: x ←→ j: ejercer – ejercicio
x ←→ s: tasa
Antónimo: mínimo ≠ máximo

LOS ERRORES
La influencia climática

Según un investigador español, las condiciones atmosféricas *ejercen (1)* una influencia en el trabajo del individuo. Ahora se ha *comprobado (2)* que las personas que trabajan con los números *cometen (3)* más errores en invierno y verano que en la primavera y en el otoño, siendo la primavera la estación en que los errores son mínimos.

Siempre

1. ejercen su influencia –
es decir...
a. tienen
b. provocan
c. causan
d. a, b y c

2. comprobado
a. observado
b. aprendido
c. reconocido
d. a, b y c

3. cometen
a. investigan
b. venden
c. hacen
d. abren

4. ¿En qué estación del año hay menos errores?
a. En la primavera.
b. En el verano.
c. En el otoño.
d. En el invierno.

5. ¿En cuál de las siguientes profesiones debe manifestarse más la influencia atmosférica?
a. La del profesor de español.
b. La del contador de un banco.
c. La del médico.
d. La del periodista.

6. Según el artículo, ¿cuándo es la mejor época para computar las tasas?
a. En marzo, abril o mayo.
b. En julio o agosto.
c. En octubre o noviembre.
d. En enero o febrero.

Indicar la dificultad: fácil----A B C D E----difícil
Indicar su interés en el tema: interesante----A B C D E----no interesante

EJERCICIOS

A. Completar de memoria:

1. esp __ ñol
2. condi __ ión
3. __ nfluencia
4. individu __
5. p __ rsona

6. núm __ ro
7. err __ r
8. ver __ no
9. e __ tación
10. m __́ nimas

B. Cambiar a infinitivos:

1. ejercen
2. trabajan
3. comprobado
4. cometen
5. son

a substantivos:

1. investigar
2. influir
3. errar
4. minimizar
5. numerar

C. Indicar sinónimos:

1. causan
2. reconocer
3. hacen
4. diciembre, enero, febrero
5. junio, julio, agosto

Antónimos:

1. primavera
2. verano
3. máximo
4. solución
5. enero

D. Definir:

_____ investigar

_____ influencia

_____ trabajo

_____ verano

_____ abrir

1. estación
2. científico
3. vender
4. lo contrario de cerrar
5. atmósfera
6. empleo
7. contribución

E. Escribir una lista de:

1. "Las estaciones"
2. "Los meses"

F. Contestar cierta o falsa:

1. El tiempo tiene un efecto en el trabajo de una persona.
2. Un matemático trabaja con los números.
3. Los matemáticos hacen más errores en la primavera.
4. La estación en que los errores son máximos es la primavera.
5. Es en el otoño cuando los que trabajan con los números tienen más dificultad.

G. Responder:

1. ¿El tiempo tiene un efecto en el trabajo o en la apariencia de un hombre?
2. ¿Un matemático o un periodista trabaja con los números?
3. ¿Los matemáticos hacen más errores en la primavera o en el verano?
4. ¿Es la estación de máximo error en los cálculos la primavera o el invierno?
5. ¿Cuál es la estación en que los errores son mínimos, el otoño o el verano?

H. Contestar/discutir:

1. ¿Cómo afecta la condición atmosférica al hombre?
2. ¿Cuáles son las profesiones donde uno trabaja principalmente con los números?
3. ¿Cuándo cometen más errores los matemáticos?
4. ¿Cuál es la estación en que el tiempo tiene menos influencia en los números?
5. ¿Cuándo comete Vd. más errores con los números?

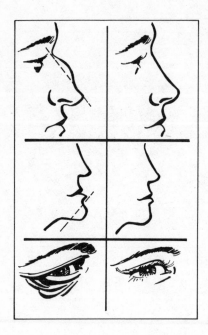

Clave

Derivado: perder – pérdida – perdición
mamar – amamantar – mamá
Equivalencia: pie – pierna: mano – brazo
Cambio: ct ←→ ch: pectoral – pecho
ct ←→ g: corregir – correcto – corrección

LA CIRUGIA COSMETICA
La apariencia y la personalidad

La *cirugía (1)* plástica ha hecho increíbles progresos en los últimos años, llegando a *corregir (2)* defectos tan diversos como la diferente longitud de las piernas, el *labio leporino (3)* y, en mujeres operadas de cáncer de pecho, la pérdida de un *seno (4)*. Según los psiquiatras, estos defectos pueden provocar en las personas complejos o depresiones psíquicas que les incapacitan en la vida social o profesional. Ahora hay muchos que se sirven de la cirugía plástica para la corrección de su fisiología, y como consecuencia, de su psicología.

Blanco y Negro

1. **cirugía –**
   curar por medio de . . .
   a. medicina
   b. píldoras
   c. operaciones
   d. religión

2. **corregir**
   a. rectificar
   b. hacer correcto
   c. reparar
   d. a, b y c

3. **labio leporino –** labio . . .
   a. con una fisura
   b. partido en dos
   c. dividido
   d. a, b y c

4. **seno –** órgano para . . .
   a. amamantar a un niño
   b. organizar las ideas
   c. facilitar la locomoción
   d. poder ver

5. ¿Qué se aprende en este artículo?
   a. La cirugía cosmética puede cambiar la personalidad tanto como la apariencia.
   b. La cirugía plástica sirve para hacer más evidentes los defectos de uno.
   c. Los psiquiatras recomiendan la cirugía embellecedora a todos los pacientes.
   d. La depresión y el insomnio son productos de la cirugía.

Indicar la dificultad: fácil----A B C D E----difícil
Indicar su interés en el tema: interesante----A B C D E----no interesante

EJERCICIOS

A. Completar de memoria:
1. plás __ ica
2. últ __ mos
3. def __ cto
4. cán __ er
5. psiq __ iatra
6. __ sicología
7. s __ cial
8. comple __ o
9. __ isiología
10. progr __ so

B. Cambiar a infinitivos:
1. corrección
2. operación
3. división
4. organización
5. provocación

a substantivos:
1. progresar
2. ultimar
3. diferenciar
4. perder
5. complicar

C. Indicar sinónimos:
1. reparar
2. bello
3. apariencia
4. cambiar un defecto
5. partido

Antónimos:
1. causar
2. errar
3. creíble
4. capacitar
5. mismo

D. Eliminar uno:
1. pecho / seno / defecto
2. neurosis / psicosis / mujer
3. psiquiatra / psicólogo / brazo
4. pierna / locomoción / cáncer
5. complejo / depresión / cirugía

E. Escribir una lista de palabras relacionadas con:
1. "El cuerpo"
2. "La cirugía"

F. Contestar cierta o falsa:
1. La cirugía plástica es relativamente nueva.
2. Esta cirugía se usa para corregir defectos en el cuerpo humano.
3. Los defectos en la apariencia afectan la personalidad.
4. Los psiquiatras no recomiendan la cirugía plástica para nadie.
5. La corrección en la fisiología no afecta la perspectiva psicológica del individuo.

G. Responder:
1. ¿La cirugía plástica es relativamente nueva o tiene una larga historia?
2. ¿Se usa la cirugía plástica para causar o corregir defectos del cuerpo?
3. ¿Un defecto en la apariencia puede afectar mucho o poco la personalidad del individuo?
4. ¿Recomiendan los psiquiatras esta cirugía para todos o para algunos?
5. ¿Afecta la cirugía plástica más la apariencia o la personalidad del individuo?

H. Contestar/debatir:
1. ¿Qué puede corregir la cirugía plástica?
2. ¿Cómo afectan los defectos físicos la personalidad?
3. ¿Cómo la afectan los cambios de apariencia?
4. ¿Para quién se recomienda la cirugía plástica?
5. ¿Está Vd. a favor de la cirugía plástica?

Clave

Derivado: circular – circulación – circulatorio
Sufijo: -miento = acto de: sufrir – sufrimiento
Expansión: o←→au: oír – oído – auditivo – audición

EL RUIDO Y EL SISTEMA CIRCULATORIO
Efectos graves en el hombre

El *ruido (1)* puede afectar el *oído (2)* del hombre, esto ya se sabe. La capacidad auditiva se reduce bastante en un *ambiente (3)* ruidoso durante un tiempo prolongado; y es cierto que algunas profesiones son más *peligrosas (4)* que otras en este respecto.

Sin embargo, más grave todavía es el efecto *patológico (5)* que el ruido puede *ocasionar (6)* en el hombre. Por ejemplo se ha demostrado que aumenta la presión *sanguínea (7)*. Esto parece indicar que la gente que *padece de (8)* problemas circulatorios o tiene problemas cardíacos puede ser más afectada por el ruido que otras personas *sanas (9)*.

Blanco y Negro

1. ruido
a. vibración deliberada
b. resonancia
c. sonidos fuertes
d. a, b y c

2. oído – órgano de . . .
a. la voz
b. la visión
c. la audición
d. la digestión

3. ambiente
a. sitio
b. lugar
c. área
d. a, b y c

4. peligrosas
a. problemáticas
b. inocentes
c. virtuosas
d. angélicas

5. patológico – resultado . . .
a. bueno
b. negativo
c. alegre
d. positivo

6. ocasionar
a. remediar
b. curar
c. reparar
d. causar

7. sanguínea – de . . .
a. el agua
b. la sangre
c. el oxígeno
d. los ácidos para
la digestión

8. padece de
a. sufre de
b. es víctima de
c. tiene
d. a, b y c

9. sanas
a. moribundas
b. no enfermas
c. muertas
d. incurables

10. ¿Qué se aprende en este artículo?
a. Si uno tiene problemas circulatorios, el ruido puede producirle mucho sufrimiento.
b. En realidad muy poca gente es afectada por el ruido.
c. Los médicos estudian la sangre para informarse mejor de los problemas cardíacos.
d. El ruido molesta más al hombre que no está enfermo que al que está grave.

Indicar la dificultad: fácil----A B C D E----difícil
Indicar su interés en el tema: interesante----A B C D E----no interesante

EJERCICIOS

A. Completar de memoria:
1. cap __ cidad
2. r __ ducido
3. durant __
4. ci __ rto
5. resp __ cto
6. __ rave
7. efect __
8. pr __ sión
9. g __ nte
10. ruid __

B. Cambiar a infinitivos:
1. aumenta
2. padece
3. está
4. demostrado
5. parece

a substantivos:
1. oír
2. profesar
3. efectuar
4. vibrar
5. resonar

a substantivos en -miento:
1. sufrir
2. mover
3. pensar

C. Indicar sinónimos:
1. vibración
2. sitio
3. causar
4. sufrir
5. remediar

Antónimos:
1. bueno
2. positivo
3. insano
4. incurable
5. aumentar

el órgano de:
1. la circulación
2. la visión
3. la audición
4. la digestión
5. la inteligencia

D. Eliminar uno:
1. ruido / sonido / tiempo
2. peligroso / virtuoso / inocente
3. muerto / moribundo / grave
4. tener / aumentar / padecer
5. causar / curar / reparar

E. Escribir una lista de palabras relacionadas con:
1. "El sistema circulatorio"
2. "El ruido"

F. Contestar cierta o falsa:
1. El ruido puede afectar la visión del hombre.
2. La capacidad auditiva se reduce cuando uno está en un ambiente tranquilo.
3. Mucho ruido tiene efectos patológicos en el hombre.
4. El ruido puede reducir la presión de la sangre.
5. El que tiene problemas de la circulación puede ser afectado por el ruido.

G. Responder:
1. ¿El ruido puede afectar la visión o el oído del hombre?
2. ¿Se aumenta o se reduce la capacidad auditiva en un lugar de mucho ruido?
3. ¿Mucho tiempo o mucho ruido tiene un efecto patológico en el hombre?
4. ¿Puede el ruido aumentar o disminuir la presión sanguínea?
5. ¿El que tiene problemas de la circulación o de la digestión se ve afectado por el ruido?

H. Contestar/discutir:
1. ¿Qué órgano es afectado por el ruido excesivo?
2. ¿Qué ocurre al oído en un ambiente ruidoso?
3. ¿Cuál es el efecto patológico del ruido en el hombre?
4. ¿Cómo puede uno protegerse del ruido excesivo?
5. ¿Cuáles son los aparatos o las máquinas que producen mucho ruido?

Clave

Derivado: proteger – protegido – protección
establecer – establecido – establecimiento
-ista   motorista
Sufijo: -nte = persona: habitante
-dor   trabajador
Gramática: se ven = están

"SMOG"
Zona contaminada

En algunas ciudades del industrial valle del Ruhr se han establecido zonas de "smog" con objeto de ***proteger la salud (1)*** de sus habitantes.

El valle del Ruhr es la región más industrializada de la Alemania Federal. Los trabajadores de las fábricas, todos habitantes del valle, tienen un trabajo bien ***remunerado (2)*** pero a un elevado ***coste (3)***; viven dentro de la grave contaminación atmosférica causada por la industria.

Con el fin de reducir el aire excesivamente contaminado, la policía ha designado zonas donde se prohibe totalmente el tráfico durante determinadas horas, y los automovilistas y motoristas se ven obligados a hacer como sus ***antepasados (4)***: caminar a pie.

Blanco y Negro

1. proteger la salud –
. . . contra enfermedades
a. dar protección
b. defender
c. vigilar
d. a, b y c

2. bien remunerado –
ganan . . .
a. poco
b. mucho
c. nada
d. algo

3. coste
a. crimen
b. robo
c. precio
d. asalto

4. antepasados
a. padres
b. padres de los padres –
abuelos
c. ascendientes
d. a, b y c

5. ¿Qué se aprende en este artículo?
a. El aire del valle Ruhr es de los más puros del mundo.
b. La gente que trabaja en el valle del Ruhr sufre muchos accidentes de tipo industrial.
c. Hay un nuevo sistema para controlar la polución del medio ambiente en Alemania.
d. Solamente las personas viejas—padres o abuelos—usan automóviles, pero reciben dinero extra.

Indicar la dificultad: fácil----A B C D E----difícil
Indicar su interés en el tema: interesante----A B C D E----no interesante

EJERCICIOS

A. Completar de memoria:
1. __ ndustrial
2. zon __
3. va __ __ e
4. feder __ l
5. __ ábricas
6. tra __ ajo
7. cost __
8. g __ ave
9. p __ licía
10. mot __ rista

B. Cambiar a infinitivos:
1. establecido
2. obligar
3. remunerado
4. elevado
5. designado

a substantivos:
1. habitar
2. trabajar
3. fabricar
4. proteger
5. contaminar

C. Indicar sinónimos:
1. defender
2. precio
3. ascendiente
4. motorista
5. región

Antónimos:
1. atacar
2. algo
3. contaminado
4. montaña
5. mucho

D. Eliminar uno:
1. polución / contaminación / tráfico
2. zona / ambiente / atmósfera
3. reducir / controlar / establecer
4. vigilar / caminar / viajar
5. horas / fábricas / industrias

E. Escribir una lista de:
1. verbos en perfecto (2)
2. adjetivos en -do (7)
3. adverbios en -mente (2)
4. infinitivos (4)

F. Contestar cierta o falsa:
1. Hay mucha industria en el valle del Ruhr en Alemania.
2. La industria soluciona el problema del smog.
3. Los trabajadores ganan poco dinero.
4. Los alemanes del Ruhr viven en una atmósfera de aire puro.
5. Hay zonas donde se prohibe trabajar durante determinadas horas del día.

G. Responder:
1. ¿Hay mucha o poca industria en el valle del Ruhr?
2. ¿La industria soluciona o causa la contaminación?
3. ¿Los trabajadores son bien o mal remunerados?
4. ¿Ellos viven en una atmósfera de aire puro o contaminado?
5. ¿Se prohibe trabajar o usar coches durante ciertas horas del día?

H. Contestar/discutir:
1. ¿Cuál es la zona de mayor contaminación atmosférica en Alemania? ¿en los EEUU?
2. ¿Cuál es el origen de esta contaminación?
3. ¿Cuánto gana un trabajador alemán? ¿un americano?
4. ¿Dónde viven los trabajadores con respecto a su trabajo?
5. ¿Cómo puede solucionarse el problema de la contaminación del aire?

Clave

Derivado: músculo – muscular
           prevenir – prevención
Sufijo: -miento = acto de: viejo – envejecer – envejecimiento
Expansión: g⟷cc: proteger – protección
Sinónimo: detener = arrestar

VITAMINA E
Substancia necesaria en la dieta

¿Es la vitamina E la substancia de la *juventud (1)*? Todas las vitaminas son necesarias para la vida. Pero muchos especialistas creen que la E es *imprescindible (2)* para la *salud (3)* muscular y para *prevenir (4)* contra la esterilidad. En experimentos con animales, se ha *comprobado (5)* que cuando *se priva (6)* al organismo de *ella (7)* los músculos degeneran.

Está claro que la vitamina E es muy importante en el metabolismo. Entre otras funciones, modera la oxidación celular y, como consecuencia, retarda o avanza el proceso de envejecimiento aunque no lo puede detener. Según los expertos, no es necesario *ingerir (8)* la vitamina E sintética porque hay cantidades apreciables y accesibles en una dieta normal.

Blanco y Negro

1. juventud – ser...
a. joven
b. anciano
c. adulto
d. viejo

2. imprescindible
a. innecesario
b. indispensable
c. superfluo
d. no obligatorio

3. salud
a. bienestar
b. malestar
c. fatiga
d. molestia

4. prevenir
a. estudiar
b. aclarar
c. protegerse
d. investigar

5. comprobado
a. confirmado
b. observado
c. verificado
d. a, b y c

6. se priva
a. se da
b. se prohibe
c. se ofrece
d. se presenta

7. de ella
a. la vitamina E
b. el organismo
c. el músculo
d. los especialistas

8. ingerir
a. transportar
b. mover
c. comer
d. mobilizar

9. ¿Qué se aprende en este artículo?
a. Para recuperar el aspecto joven, uno debe usar la vitamina E en abundancia.
b. No todas las vitaminas son importantes para la apariencia física y emocional del hombre.
c. Como no hay mucha vitamina E en la naturaleza, es necesario sintetizarla en grandes cantidades.
d. La vitamina E entre otras es importante para el equilibrio de las funciones vitales.

10. Según el artículo, ¿qué problema puede tener el que tiene una insuficiencia de vitamina E en su dieta?
a. Impotencia.
b. Debilidad física.
c. Cansancio.
d. a, b y c

Indicar la dificultad: fácil----A   B   C   D   E----difícil
Indicar su interés en el tema: interesante----A   B   C   D   E----no interesante

EJERCICIOS

A. Completar de memoria:
1. vitamin __
2. __ specialista
3. musc __ lar
4. __ sterilidad
5. exper __ mento
6. org __ nismo
7. met __ bolismo
8. proc __ so
9. expert __
10. di __ ta

B. Cambiar a infinitivos:
1. avanza
2. retarda
3. priva
4. degeneran
5. modera

a substantivos:
1. especializar
2. esterilizar
3. experimentar
4. funcionar
5. envejecer

C. Indicar sinónimos:
1. necesario
2. proteger
3. verificar
4. prohibir
5. usar

Antónimos:
1. vejez
2. molestar
3. recuperar
4. retardar
5. impotente

D. Definir:

_____ anciano

_____ investigar

_____ aspecto

_____ cantidad

_____ cansancio

1. estudiar algo
2. número
3. falta de energía
4. arrestar
5. apariencia
6. viejo
7. oxidación

E. Escribir una lista de palabras relacionadas con:
1. "La salud"
2. "El envejecimiento"

F. Contestar cierta o falsa:
1. La vitamina E es la substancia de la juventud.
2. Muchos especialistas creen que la vitamina E es innecesaria.
3. Los músculos se degeneran cuando se da esta substancia a los animales.
4. La vitamina E controla en parte nuestro metabolismo.
5. Puede detener el proceso de envejecimiento.

G. Responder:
1. ¿La vitamina C o la E es la substancia de la juventud?
2. ¿Los especialistas creen que la E es innecesaria o imprescindible?
3. ¿Los músculos se degeneran con la presencia o la ausencia de la vitamina E?
4. ¿La vitamina E controla el metabolismo o la inteligencia?
5. ¿Es la vitamina E una substancia sintética o existe en la naturaleza?

H. Contestar/discutir:
1. ¿Qué fama tiene la vitamina E?
2. ¿Qué dicen de ella los especialistas?
3. ¿Qué ocurre al eliminar la vitamina E de la dieta?
4. ¿Qué controla la vitamina E?
5. ¿Toma Vd. vitaminas? ¿Cuáles? ¿Por qué sí o no?

Clave

Sufijo: -nte = persona: dormir – durmiente
-miento = acto de: mover – movimiento
Expansión: o ←→ ue: cuerpo
Gramática: al + -r = cuando
Cambio: x ←→ j: reflejo

HABLAMOS DORMIDOS
La postura revela la personalidad

Un psiquiatra, el doctor Samuel Dunkell, ha elaborado una nueva teoría sobre la personalidad humana, basada en la postura que el cuerpo adopta cuando dormimos. Según el doctor, la posición del *durmiente (1)* "habla" con claridad con respecto a los problemas que nos han afectado durante el día.

El doctor *señala (2)* que hay dos posiciones básicas mientras se duerme: alfa, y omega. Alfa es *la que (3)* adoptamos voluntariamente al acostarnos y refleja la perspectiva que tenemos de nosotros mismos (pero que no es la verdadera expresión de nuestra personalidad). Omega es la combinación de las posiciones que el cuerpo adopta cuando estamos profundamente dormidos y, según el psiquiatra, refleja nuestro verdadero temperamento y los problemas que nos afectan.

Durante la noche, *damos muchas vueltas (4),* pero por la mañana, antes de despertarnos, el cuerpo asume la posición omega.

Blanco y Negro

1. durmiente – el que . . .
a. estudia
b. investiga
c. duerme
d. inventa

2. señala
a. indica
b. hace
c. construye
d. fabrica

3. la que
a. el psiquiatra
b. la postura
c. la teoría
d. los problemas

4. damos muchas vueltas
a. revolvemos
b. nos agitamos
c. nos movemos
d. a, b y c

5. ¿Qué se aprende en este artículo?
a. Una vez dormidos, raramente nos movemos hasta la mañana siguiente.
b. El movimiento en la noche molesta mucho al dormir.
c. Alfa es la posición que mejor revela nuestro verdadero carácter.
d. Las varias posturas del cuerpo durante la noche revelan la idea que el individuo tiene sobre su personalidad.

Indicar la dificultad: fácil----A B C D E----difícil
Indicar su interés en el tema: interesante----A B C D E----no interesante

EJERCICIOS

A. Completar de memoria:
1. psiqu __ atra
2. h __ mana
3. p __ stura
4. posi __ ión
5. __ roblemas
6. bás __ ca
7. al __ a
8. p __ rspectiva
9. person __ lidad
10. t __ mperamento

B. Cambiar a infinitivos:
1. elaborado
2. basada
3. dormido
4. afectado
5. refleja

a substantivos:
1. dormir
2. expresar
3. combinar
4. volver
5. mover

a participios pasados:
1. asumir
2. afectar
3. despertar
4. acostar
5. adoptar

C. Indicar sinónimos:
1. el que duerme
2. indicar
3. moverse
4. posición
5. personalidad

Antónimos:
1. involuntariamente
2. por la mañana
3. despertarse
4. levantarse

D. Eliminar uno:
1. carácter / personalidad / postura
2. problema / teoría / pensamiento
3. ayer / el día siguiente / mañana
4. asumir / demostrar / indicar
5. durmiente / doctor / psiquiatra

E. Escribir una lista de palabras relacionadas con:
1. "La personalidad"
2. "El descanso"

F. Contestar cierta o falsa:
1. Hay una nueva teoría sobre la personalidad humana.
2. La postura del individuo dormido refleja su personalidad.
3. Nuestro cuerpo habla cuando estamos dormidos.
4. "Omega" es la primera posición que adoptamos al acostarnos.
5. No nos movemos nada durante la noche.

G. Responder:
1. ¿Hay una teoría sobre el temperamento o sobre el origen del hombre?
2. ¿La postura o la religión del individuo dormido refleja su personalidad?
3. ¿Habla nuestro cuerpo o nuestro doctor cuando estamos dormidos?
4. ¿El nombre de nuestra primera posición al dormirnos es "alfa" u "omega"?
5. ¿Damos muchas vueltas o no nos movemos cuando dormimos?

H. Contestar/discutir:
1. ¿En qué se basa la nueva teoría sobre la personalidad?
2. ¿En qué manera "hablamos" cuando estamos dormidos?
3. ¿Cuál es la posición alfa? ¿la omega?
4. ¿Qué hacemos mientras estamos dormidos?
5. ¿En qué posición está Vd. al despertarse? ¿Cómo es su alfa? ¿Cómo es su omega?

Clave

Derivado: agitar – agitado – agitación
Expansión: o ⟷ ue: mover
Cambio: gn ⟷ ñ: señalar – señal

OTRO EFECTO DEL TABACO
Irritación pulmonar, contaminación atmosférica

Los efectos del tabaco sobre *la función ciliar (1)* de los *pulmones (2)* han sido publicados recientemente en Francia. El informe *señala (3)* que hoy día el cáncer de pulmón, de tráquea y de bronquios, poco *difundidos (4) a principios (5)* de este siglo, causa la *muerte (6)* a más de diez mil personas cada año.

Un equipo de investigadores franceses ha descubierto que los cilios pulmonares (especie de *diminutos (7)* cabellos) se agitan o mueven con una frecuencia de ocho a doce veces por segundo para *proteger (8)* la función respiratoria del hombre contra los agentes que impiden la aspiración del oxígeno del aire. Según el informe, la contaminación atmosférica en las ciudades y el *humo del tabaco (9)* son particularmente irritantes porque reducen la actividad o movimientos de los cilios.

ABC

1. ciliar – acción de . . . el aire
   a. lavar
   b. limpiar
   c. purificar
   d. a, b y c

2. pulmones – órganos de . . .
   a. la digestión
   b. la respiración
   c. la reproducción
   d. la locomoción

3. señala
   a. dice
   b. ignora
   c. olvida
   d. desconoce

4. difundidos
   a. reconocidos
   b. extendidos
   c. frecuentes
   d. a, b y c

5. a principios
   a. al final
   b. al término
   c. al comienzo
   d. a la conclusión

6. muerte – . . . de la vida
   a. comienzo
   b. cesación
   c. iniciación
   d. principio

7. diminutos
   a. enormes
   b. pequeños
   c. grandes
   d. gigantescos

8. proteger – es decir, dar . . .
   a. problemas
   b. programas
   c. dificultades
   d. protección

9. humo del tabaco
   a. gas y vapor
   b. agua y metal
   c. tierra y oro
   d. plata y papel

10. ¿Qué se aprende en este artículo?
   a. El aire que se respira es purificado por los cilios pulmonares.
   b. Los gases y vapores del tabaco causan inflamación cuando el individuo los respira.
   c. Hay mayor incidencia de cáncer del aparato respiratorio ahora que en el pasado.
   d. a, b y c

Indicar la dificultad: fácil----A B C D E----difícil
Indicar su interés en el tema: interesante----A B C D E----no interesante

EJERCICIOS

A. Completar de memoria:
1. efe __ to
2. f __ nción
3. __ nformal
4. cánce __
5. m __ l
6. s __ gundo
7. ag __ nte
8. oxígen __
9. cont __ minación
10. m __ vimiento

B. Cambiar a infinitivos:
1. sido
2. señala
3. causa
4. descubierto
5. mueren

a substantivos:
1. mover
2. agitar
3. contaminar
4. investigar
5. morir

C. Indicar sinónimos:
1. purificar
2. decir
3. frecuente
4. al comienzo
5. moverse

Antónimos:
1. al final
2. en el pasado
3. vida
4. enorme
5. permitir

D. Eliminar uno:
1. pulmón / estómago / tabaco
2. concluir / terminar / principiar
3. irritar / aspirar / respirar
4. estudio / agente / informe
5. oro / papel / plata

E. Escribir una lista de palabras relacionadas con:
1. "La respiración"
2. "La investigación"

F. Contestar cierta o falsa:
1. El tabaco afecta la función ciliar del estómago.
2. El cáncer del sistema respiratorio es menos serio que en el pasado.
3. Los cilios se agitan para filtrar el oxígeno que respiramos.
4. Más de 10.000 personas se mueren de cáncer pulmonar cada año.
5. La contaminación atmosférica también irrita los cilios.

G. Responder:
1. ¿El tabaco afecta la función ciliar del estómago o de los pulmones?
2. ¿El cáncer es más o menos severo ahora que en el pasado?
3. ¿Los cilios se mueven para lavar el aire o el tabaco?
4. ¿Más o menos de 10.000 personas se mueren anualmente de cáncer pulmonar?
5. ¿La contaminación atmosférica irrita o purifica los cilios?

H. Contestar/discutir:
1. ¿Cuál es el órgano principalmente afectado por el tabaco?
2. ¿En qué es diferente ahora la incidencia de cáncer pulmonar comparada con el pasado?
3. ¿Qué son los cilios? ¿Dónde están y qué hacen?
4. ¿Cuánta gente se muere anualmente del cáncer producido por el tabaco?
5. ¿Qué hace Vd. para (no) contaminar la atmósfera?

Clave

Derivado: comunicar – comunicado – comunicación
pelo – pelar – depilar
vecino – vecindad
cortés – cortesía
Sufijo: -ero = persona: guerra – guerrilla – guerrillero
Antónimo: mayor ≠ menor

COMO RECONOCER A UN GUERRILLERO
Aspectos de su carácter y apariencia

El periódico parisiense "Le Monde" informa que las autoridades militares argentinas han publicado una curiosa comunicación sobre "cómo *reconocer (1)* a un guerrillero o un revolucionario, en la ciudad". Según el comunicado, los guerrilleros son *vecinos (2)* recientes que llevan menos de un año en su apartamento. Generalmente viven en *parejas (3)* o solos. Son jóvenes y no *tratan con (4)* nadie. En la mayoría de los casos están bien educados y son corteses. Su *peinado (5)* y su modo de vestir son normales.

Generalmente no tienen hijos o, en caso de tenerlos, son menores de cinco años. Las *personas mayores (6)* no tienen la costumbre de visitarlos. Nadie conoce a sus padres o familiares y no se sabe dónde trabajan.

Blanco y Negro

1. reconocer
a. discernir
b. adivinar
c. distinguir
d. a, b y c

2. vecinos – . . . que viven cerca
a. tigres
b. habitantes
c. elefantes
d. rinocerontes

3. en parejas – es decir, hay . . . en casa.
a. dos
b. tres
c. cuatro
d. cinco

4. tratan con
a. visitan a
b. conversan con
c. se divierten con
d. a, b y c

5. peinado
a. pelo
b. chaquetas
c. camisas
d. pantalones

6. personas mayores
a. bebés
b. jóvenes
c. adolescentes
d. abuelos

7. Para no ser considerado guerrillero, ¿qué debe hacer un nuevo residente de un pueblo?
a. Nunca invitar a los vecinos a su casa.
b. No hablar nada de su empleo.
c. Raras veces hacer referencias a su familia.
d. Hablar mucho con los que viven al lado.

8. Según la descripción del guerrillero que da el artículo, ¿de cuál de los siguientes se debe sospechar?
a. Un joven aparentemente sin trabajo.
b. Un viejo recluso y sin esposa.
c. Un vecino alcohólico de cuarenta años.
d. Un matrimonio con hijos en la universidad.

Indicar la dificultad: fácil----A B C D E----difícil
Indicar su interés en el tema: interesante----A B C D E----no interesante

EJERCICIOS

A. Completar de memoria:

1. períod __ co
2. mili __ ar
3. guerri __ __ ero
4. apart __ mento
5. norm __ l
6. c __ stumbre
7. __ adie
8. cort _́_ s
9. vest __ r
10. cas __

B. Cambiar a infinitivo:

1. publicado
2. comunicado
3. peinado
4. educado
5. considerado

a substantivos:

1. pelar
2. conversar
3. referir
4. describir
5. residir

C. Indicar sinónimos:

1. distinguir
2. adulto
3. trabajo
4. revolucionario
5. amigos

Antónimos:

1. mayor
2. siempre
3. pareja
4. alguien
5. muchas veces

D. Eliminar uno:

1. elefante / rinoceronte / vecino
2. empleo / trabajo / diversión
3. abuelos / niños / mayores
4. autoridad / guerrillero / revolucionario
5. antiguo / nuevo / reciente

E. Escribir una lista de:

1. adjetivos (11)
2. adverbios   (2)
3. conjunciones (2)
4. negativos   (2)

F. Contestar cierta o falsa:

1. Un periódico francés ha publicado un artículo para los revolucionarios.
2. Los guerrilleros son fáciles de reconocer.
3. Son jóvenes que tienen muchos amigos.
4. Se visten de una manera diferente.
5. Sus padres y abuelos los visitan con frecuencia.

G. Responder:

1. ¿La publicación es para aprender a convertirse en guerrillero o para saber reconocer a un revolucionario?
2. ¿Son fáciles o difíciles de reconocer?
3. ¿Tienen muchos o pocos amigos?
4. ¿Se visten normal o diferente?
5. ¿No ven a nadie o tienen la costumbre de tener muchas visitas?

H. Contestar/discutir:

1. ¿Cuál es el tema de esta publicación curiosa?
2. ¿Cómo viven los revolucionarios?
3. Diga algo sobre la apariencia de los guerrilleros.
4. ¿Dónde trabajan?
5. ¿Conoce Vd. a un revolucionario? ¿Sabe dónde vive?

Clave

Derivado: instinto – instintivo – instintivamente
Gramática: -ndo = acto en progreso: ejercitar – ejercicio – ejercitando
                los (hombres) que = los que
Sufijo: -miento = acto de: funcionar – funcionamiento

LA TECNICA DE LA RESPIRACION
Dos maneras diferentes

Existen dos maneras de *respirar (1)*: superficial o profundamente. Con la respiración superficial, que es instintiva *en ambientes "cargados" de contaminación (2)*, aspiramos unos 500 centímetros cúbicos de aire. También por instinto respiramos con profundidad en el *campo (3)* o en ambientes no contaminados. Una persona que comprende la técnica de la buena respiración, ejercitando los músculos pectorales y abdominales, puede aspirar 3.000 centímetros cúbicos de aire o más. Esta es la técnica que *se enseña a (4)* los atletas, pero también debe ser aprendida por todos los que no practican ningún *deporte (5)*, con el objeto de causar un *"lavado" (6)* de los *pulmones (7)*. Como consecuencia de respirar profundamente, *se mejora (8)* el funcionamiento del corazón, de todo el sistema circulatorio, y del aparato digestivo.

Blanco y Negro

1. respirar
 a. comer y eliminar
  la comida
 b. absorber y expeler
  el aire
 c. ver y percibir el mundo
 d. aprender y clasificar
  información

**2. en ambientes "cargados"
 de contaminación –**
  por ejemplo, en...
 a. un parque
 b. un hospital
 c. una fábrica
 d. un bosque

3. campo – lugar dedicado
  principalmente...
 a. a la agricultura
 b. al comercio
 c. a la medicina
 d. al gobierno

4. se enseña a
 a. aprenden
 b. adquieren
 c. saben
 d. a, b y c

5. deporte – por ejemplo...
 a. la medicina
 b. el tenis
 c. la psicología
 d. el arte

6. "lavado"
 a. destrucción
 b. contaminación
 c. purificación
 d. infección

7. pulmones – órganos de...
 a. la digestión
 b. la respiración
 c. la reproducción
 d. la circulación

8. se mejora – es decir...
 a. es perfeccionado
 b. no es tan bueno
 c. es impedido
 d. es interrumpido

9. ¿Qué se aprende en este artículo?
 a. Respiramos por instinto solamente en ambientes contaminados.
 b. La respiración es involuntaria; no podemos controlar la cantidad de aire que aspiramos.
 c. Esta técnica puede ser beneficiosa para el cuerpo entero, no sólo para los órganos de la
  respiración.
 d. Respiramos más profundamente en la ciudad que en el campo.

10. ¿Quién debe practicar la técnica de la buena respiración?
   a. La gente que no ejercita los músculos frecuentemente.
   b. Las personas que han sufrido ataques de corazón.
   c. Los habitantes de centros industriales.
   d. Todo el mundo.

Indicar la dificultad: fácil----A B C D E----difícil
Indicar su interés en el tema: interesante----A B C D E----no interesante

EJERCICIOS

A. Completar de memoria:
   1. maner __
   2. s __ perficial
   3. respir __ ción
   4. con __ aminación
   5. a __ re
   6. insti __ to
   7. té __ nica
   8. m __ sculo
   9. a __ leta
   10. d __ porte

B. Cambiar a infinitivos:
   1. existen
   2. aspiramos
   3. respiramos
   4. comprende
   5. practican

a substantivos:
   1. respirar
   2. contaminar
   3. lavar
   4. funcionar
   5. ambientar

a derivados en -mente:
   1. principal
   2. instintivo
   3. profundo
   4. involuntario
   5. sólo

C. Indicar sinónimos:
   1. purificar
   2. perfeccionar
   3. usando
   4. deportista
   5. aspirar

Antónimos:
   1. contaminar
   2. superficial
   3. aprendido
   4. involuntario
   5. absorber

D. Definir:
   _____ pulmón
   _____ atleta
   _____ corazón
   _____ estómago
   _____ músculo

   1. hace circular la sangre
   2. órgano de la respiración
   3. funcionamiento
   4. produce movimiento
   5. jugador de tenis
   6. aparato digestivo
   7. profundamente

E. Escribir una lista de:
   1. los órganos (3)
   2. adverbios en -mente (2)
   3. gerundios (1)

F. Contestar cierta o falsa:
   1. Hay solamente una manera de respirar.
   2. La respiración profunda es instintiva.
   3. Por instinto respiramos superficialmente en lugares contaminados.
   4. Se respira bien usando los músculos abdominales.
   5. El respirar bien mejora la circulación.

G. Responder:
1. ¿Hay una o dos maneras de respirar?
2. ¿La respiración profunda es aprendida o instintiva?
3. ¿Respiramos superficial o profundamente en lugares contaminados?
4. ¿Se respira bien usando los músculos abdominales o el aparato digestivo?
5. ¿El respirar bien mejora o interrumpe la circulación?

H. Contestar/discutir:
1. ¿Cuántas maneras hay de respirar y cómo se llaman?
2. ¿Cuál es instintiva?
3. ¿Cómo respiramos cuando estamos en el campo?
4. ¿Con qué se respira profundamente?
5. ¿Qué efecto tiene la contaminación en Vd.?

Clave

Derivado: creer – credo – creencia
curar – cura – curandero – curanderismo
con + fe = confiar – confianza
Gramática: cualquier = uno o todos
Sinónimo: éxito = triunfo

"FAITH HEALING"
La medicina y la superstición

"Faith Healing" es una doctrina que prospera en los Estados Unidos. Está relacionada con la ciencia cristiana, una filosofía que prohibe a sus *fieles (1)* el uso de medicinas. Pero la creencia, más cerca a la superstición y a la *milagrería (2)* que a la fe, dice que *cualquier dolencia (3)* puede desaparecer si un "faith healer" lo *solicita (4)* a Dios por medio de una "imposición de manos" y si, como es natural, el paciente tiene mucha confianza también en su cura.

Los "faith healers" dominan el folklore religioso blanco y negro del sur de los Estados Unidos. El más famoso de ellos es Oral Roberts quien ha construido su propia universidad en Tulsa, Oklahoma. Pero Roberts es diferente de muchos de los "healers" populares; en contraste con los otros, él *no rechaza (5)* la utilidad de la medicina. Otros muchos, sin embargo, sí lo hacen y a veces tienen considerable éxito.

Informaciones

1. fieles
a. devotos
b. discípulos
c. los que guardan la fe
d. a, b y c

2. milagrería – algo. . .
a. misterioso
b. verdadero y natural
c. actual y real
d. universal y diario

3. cualquier dolencia – por ejemplo. . .
a. una enfermedad
b. una parálisis
c. un dolor constante
d. a, b y c

4. solicita
a. escribe
b. lee
c. suplica
d. critica

5. no rechaza – es decir. . .
a. resiste
b. abandona
c. acepta
d. incluye

6. ¿A qué se refiere "la imposición de las manos"?
a. El enfermo presenta las manos al "faith healer" y las adora.
b. El "faith healer" toca al enfermo y pretende transferirle el amor de Dios.
c. Dios existe solamente en los ojos y un "faith healer" puede curarle a uno con sólo mirarlo.
d. Es una doctrina en que el "faith healer" vende medicinas y promesas a los enfermos.

7. ¿Qué se aprende en este artículo?
a. Hay algunos "faith healers" que tienen un efecto positivo en los enfermos.
b. Solamente Oral Roberts cree en la imposición de las manos.
c. La mayor parte de los "faith healers" en realidad no creen en Dios.
d. Ninguno de los practicantes se sirve de los médicos y la ciencia moderna.

8. ¿En qué es distinto Oral Roberts de los demás "faith healers"?

   a. Solamente practica la curación en el sur de los EEUU.

   b. Cree en los medicamentos para los enfermos.

   c. Es presidente de una serie de universidades donde enseñan la metodología de la imposición de las manos.

   d. Está completamente en contra del concepto de la medicina.

Indicar la dificultad: fácil----A   B   C   D   E----difícil
Indicar su interés en el tema: interesante----A   B   C   D   E----no interesante

EJERCICIOS

A. Completar de memoria:

1. doctr __ na
2. cien __ ia
3. supersti __ ión
4. f __
5. D __ os

6. pacie __ te
7. confian __ a
8. uni __ ersidad
9. pop __ lar
10. med __ cina

B. Cambiar a infinitivos:

1. cura
2. prohibe
3. relacionado
4. enferma
5. pretende

a substantivos:

1. confiar
2. creer
3. imponer
4. utilizar
5. prometer

a adverbios en -mente:

1. sólo
2. completo
3. real
4. natural
5. considerable

C. Indicar sinónimos:

1. discípulo
2. filosofía
3. resistir
4. imponer las manos
5. confianza

Antónimos:

1. acepta
2. aparecer
3. negro
4. permitir
5. norte

D. Eliminar uno:

1. discípulo / fiel / doctrina
2. universal / milagro / misterio
3. medicina / dolencia / enfermedad
4. rechazar / aceptar / resistir
5. folklore / doctrina / filosofía

E. Escribir una lista de palabras relacionadas con:

1. "El curanderismo"
2. "La medicina"

F. Contestar cierta o falsa:

1. "Faith Healing" prospera en los EEUU.
2. Es una filosofía que depende de la medicina para curar enfermedades.
3. Si un "healer" toca al enfermo, su enfermedad desaparece.
4. Los curanderos dominan el folklore religioso en el sur de los EEUU.
5. El más famoso de los curanderos no rechaza la utilidad de la medicina.

G. Responder:

1. ¿Los curanderos prosperan en los EEUU o en Canadá?
2. ¿Es una filosofía que depende de la medicina o de la fe para curar enfermedades?
3. ¿Las dolencias desaparecen cuando el curandero mira al enfermo o cuando lo toca?
4. ¿Dominan los "healers" el folklore religioso o la vida artística del sur de los EEUU?
5. ¿El Doctor Roberts rechaza o acepta la utilidad de la medicina?

Contestar/debatir:

1. ¿Dónde prosperan los curanderos?
2. ¿Qué es el curanderismo?
3. ¿Cómo pueden curar los curanderos las enfermedades?
4. ¿Qué parte de la vida dominan los curanderos en el sur de los EEUU?
5. ¿Cree Vd. en el curanderismo? ¿Por qué?

Clave

Derivado: informar – información – informe
Gramática: el (hombre) que = el que; la (mujer) que = la que
Sinónimo: lugar = sitio

EL SUICIDIO
Una tragedia frecuente

Los expertos de la Organización Mundial de la Salud (OMS) han publicado un informe sobre el suicidio en el *mundo (1)* en *el que (2)* afirman que cada ochenta y cuatro segundos se produce una *muerte (3)* por *esta causa (4)*. La *media (5)* mundial de suicidios es en *la actualidad (6)* de diez por cada cien mil habitantes.

Hungría figura *a la cabeza (7)* de los países de más elevado *índice (8)* de suicidios (33,1 por cada 100.000). España ocupa uno de los lugares más bajos: 4,5 por cada 100.000 habitantes (año 1969). La ciudad berlinesa, en el sector Oeste, ocupa un lugar excepcionalmente trágico (43,6 por cada 100.000 habitantes).

El método preferido por los suicidas es el de ingestión de *sedantes e hipnóticos (9)* aunque, en este aspecto, hay marcadas diferencias entre los países. Por otra parte, existe supremacía de los hombres con respecto a las mujeres en el número de suicidios. Y el incremento, según la OMS, es constante.

Blanco y Negro

1. mundo
a. los siete continentes
b. los dos hemisferios
c. todos los países
d. a, b y c

2. el que
a. el informe
b. la salud
c. la organización
d. los expertos

3. muerte – cuando la vida . . .
a. finaliza
b. concluye
c. termina
d. a, b y c

4. esta causa
a. infanticidio
b. asesinato
c. suicidio
d. homicidio

5. media
a. máxima
b. proporción típica
c. mínima
d. totalidad

6. la actualidad
a. ahora
b. en estos días
c. en este momento
d. a, b y c

7. a la cabeza
a. en posición más alta
b. un lugar inferior
c. en categoría más mínima
d. en clasificación poco considerable

8. índice
a. manera
b. sentimiento
c. número
d. criterio

9. sedantes e hipnóticos
a. calmantes
b. estimulantes
c. excitantes
d. emocionantes

10. ¿Qué se aprende en este artículo?

a. Hay más suicidios entre las mujeres que entre los hombres.
b. Ocurren aproximadamente 84 suicidios cada sesenta minutos en el mundo.
c. El país donde vive una persona determina en parte el método de suicidio.
d. El porcentaje de suicidios en España es superior a la media mundial.

Indicar la dificultad: fácil----A B C D E----difícil
Indicar su interés en el tema: interesante----A B C D E----no interesante

EJERCICIOS

A. Completar de memoria:

1. expert __
2. inf __ rme
3. suic __ dio
4. se __ undo
5. índi __ e

6. sect __ r
7. tr _́ gico
8. mé __ odo
9. __ specto
10. const __ nte

B. Cambiar a infinitivos:

1. afirman
2. produce
3. figura
4. ocupa
5. existe

a substantivos:

1. informar
2. suicidar
3. morir
4. incrementar
5. diferir

a substantivos en -nte:

1. habitar
2. calmar
3. estimular
4. excitar
5. emocionar

C. Indicar sinónimos:

1. ahora
2. número
3. calmante
4. finalizar
5. posición

Antónimos:

1. máximo
2. negar
3. alto
4. este
5. decremento

D. Eliminar uno:

1. nación / país / continente
2. comenzar / concluir / terminar
3. homicidio / porcentaje / suicidio
4. alto / elevado / bajo
5. sedante / estimulante / hipnótico

E. Indicar el orden correcto en porcentaje de suicidios:

1. España
2. Hungría
3. Berlín

F. Contestar cierta o falsa:

1. Hay un suicidio casi cada ochenta segundos.
2. En general uno de cada diez mil termina la vida suicidándose.
3. Hungría (año 1969) tiene menos suicidios que los otros países europeos.
4. Los suicidas prefieren matarse con sedantes.
5. Más mujeres que hombres terminan la vida en suicidio.

G. Responder:

1. ¿Hay un suicidio cada ochenta segundos o cada ochenta minutos?
2. ¿Uno de cada diez mil o cinco de cada cien mil terminan la vida en suicidio?
3. ¿Tiene Hungría más o menos suicidios que España?
4. ¿El método preferido de los suicidas es la pistola o los hipnóticos?
5. ¿Más mujeres o más hombres terminan la vida suicidándose?

H. Contestar/discutir:

1. ¿Cuál es la incidencia del suicidio en el mundo?
2. ¿Cuántos se suicidan en general en un año?
3. ¿Cuál país presenta menos suicidios?
4. ¿Cuál es el método preferido por los suicidas?
5. ¿Cuál de los sexos se suicida más? ¿Por qué?

Clave

Derivado: oxigenar – oxígeno
Cambio: t ←→ ch: pectoral – pecho
Gramática: hay que + -r = es necesario + -r
Prefijo: re- = otra vez: revivir
Antónimo: derecha ≠ izquierda
            oriental ≠ occidental

EL INFARTO
Un ataque cardíaco serio

El infarto de miocardio, la oclusión de una arteria que *priva (1)* al *músculo cardíaco (2)* de su sangre, mata unas 80.000 personas al año en la Europa occidental. Es una de las realidades del mundo *desarrollado (3)* moderno. Los síntomas—fatiga excesiva, *sudores (4)*, molestias en el brazo izquierdo, dolores en el pecho, vómitos—indican que hay que llamar al médico con toda urgencia. *Socorrida (5)* la víctima en breve tiempo, puede ser salvada. El setenta por ciento de las víctimas sobre cuarenta y cinco años normalmente viven un año después del ataque; el índice es aún más grande entre los enfermos de menos de cuarenta y cinco años.

Pero sobrevivir no es revivir. Pocas son las víctimas que vuelven a tener una actividad completamente normal. La mayoría lleva una vida modificada. Tiene que aprender a respirar, a caminar, *a correr (6)*, a montar en bicicleta para oxigenar su organismo, para *aligerar (7)* sus arterias. También tiene que recuperar el *gusto (8)* por la vida, pero sin tabaco, excesiva comida, y sin depender del automóvil como única manera de locomoción.

Blanco y Negro

1. priva
  a. da
  b. ofrece
  c. elimina
  d. permite

2. músculo cardíaco
  a. corazón
  b. pulmón
  c. hígado
  d. riñón

3. desarrollado
  a. retrasado
  b. progresivo y rápido
  c. lento y tranquilo
  d. pacífico

4. sudores – agua de...
  a. los poros
  b. los zapatos
  c. las botas
  d. las sandalias

5. Socorrida
  a. Atendida
  b. Asistida
  c. Ayudada
  d. a, b y c

6. correr – ...
independientemente
  a. leer
  b. aprender
  c. escribir
  d. moverse

7. aligerar
  a. concretar
  b. modificar
  c. solidificar
  d. endurecer

8. gusto
  a. miseria
  b. placer
  c. tormento
  d. problema

9. ¿Qué se aprende en este artículo?
  a. El que sufre un infarto y se recupera tiene que cambiar su manera de vivir.
  b. Más hombres de menos de cuarenta y cinco años se mueren de un infarto que sus hermanos mayores.
  c. Para saber si uno ha tenido un infarto, debe montar en bicicleta e ir al hospital.
  d. La mayor causa de los infartos son los problemas y presiones que resultan de la tensión familiar.

10. ¿Cómo debe organizar su vida una víctima recuperada de un infarto?
   a. Solamente fumar tabaco de pipa.
   b. Salir en taxi, evitando el aire de la calle.
   c. Comer menos en cada comida del día.
   d. Mantener una vida sedentaria.

Indicar la dificultad: fácil----A   B   C   D   E----difícil
Indicar su interés en el tema: interesante----A   B   C   D   E----no interesante

EJERCICIOS

A. Completar de memoria:

   1. arter __ a   6. vícti __ a
   2. pers __ na   7. bre __ e
   3. mod __ rno   8. at __ que
   4. fat __ ga   9. norm __ l
   5. vóm __ to   10. bic __ cleta

B. Cambiar a infinitivos: a substantivos:

   1. ataque   1. muscular
   2. fatiga   2. sudar
   3. oxígeno   3. malestar
   4. gusto   4. activar
   5. enfermo

C. Indicar sinónimos: Antónimos:

   1. ataque del corazón   1. brujería
   2. asistir   2. oriental
   3. modificar   3. independencia
   4. es necesario   4. lento
   5. moverse   5. vivir

D. Definir:

   _____ pecho   1. no usar
                             2. disgusto
   _____ sobrevivir   3. movimiento
                             4. donde se encuentra el corazón
   _____ molestia   5. recuperarse
   _____ locomoción   6. músculo principal
                             7. algo excesivo
   _____ evitar

E. Escribir una lista de palabras relacionadas con:
   1. "Un ataque del corazón"
   2. "Una vida normal"

F. Contestar cierta o falsa:
   1. El infarto de miocardio es un ataque al corazón.
   2. Es importante llamar al médico al ver los síntomas.
   3. Pocas víctimas pueden ser salvadas.
   4. Todas las víctimas pueden volver a una actividad normal.
   5. Los recuperados tienen que aprender a oxigenar su organismo.

G. Responder:

1. ¿Un infarto es un ataque al corazón o al brazo izquierdo?
2. ¿Hay que llamar al médico o esperar una ambulancia?
3. ¿Una mayoría o una minoría de las víctimas sobrevive el ataque?
4. ¿Pueden tener una vida normal o una vida modificada?
5. ¿Tienen que aprender a oxigenar su cuerpo o depender del automóvil? ?

H. Contestar/debatir:

1. ¿Qué es un infarto?
2. ¿Cuáles son los síntomas?
3. ¿Cuáles son algunas de las causas?
4. ¿Quiénes sobreviven un infarto? ¿Cómo?
5. ¿Qué hace Vd. para proteger su salud?

Clave

Derivado: solo – soledad
construir – construcción
Cambio: dg←→j: alojar – alojamiento
Gramática: los (hombres) que = los que
Antónimo: ancho ≠ estrecho

CASAS PEQUEÑAS Y NEUROSIS
El espacio y su efecto en nuestro estado mental

El *tamaño (1)* de la *vivienda (2)* influye en la psique humana. Hoy se construyen apartamentos pequeños y *alojamientos tipo "estudio" (3)* aún más reducidos. Estas mini-casas pueden provocar estados psíquicos patológicos. Las personas con tendencia a la depresión a veces se enferman a consecuencia de una *estrechez (4)* angustiosa.

Según datos verificados por varios psiquiatras europeos las neurosis son *escasas (5)* en los habitantes de edificios modernos pero son más frecuentes e intensas entre los que viven en construcciones antiguas y pequeñas. Son *agudas (6)* en mujeres y en las clases sociales bajas. Por otra parte, la soledad constituye uno de los principales factores de *sobrecarga (7)* psíquica en todos los niveles sociales y en todo tipo de viviendas. La *fealdad (8)* de una zona residencial es importante, porque puede acentuar la depresión y causar más angustia que las deficiencias en la condición material de los habitantes.

¿Quién se escapa de la neurosis?

Blanco y Negro

1. tamaño
a. dimensión
b. magnitud
c. espacio
d. a, b y c

2. vivienda – por ejemplo...
a. tren
b. casa
c. automóvil
d. tranvía

3. alojamiento tipo "estudio" – es decir, de...
a. muchas piezas
b. un solo cuarto
c. cinco habitaciones
d. dormitorios espaciosos

4. estrechez – es decir, de dimensiones...
a. limitadas
b. amplias
c. grandes
d. enormes

5. escasas
a. no abundantes
b. frecuentes
c. numerosas
d. a, b y c

6. agudas – es decir...
a. más intensas
b. menos severas
c. inferiores
d. menos graves

7. sobrecarga
a. tensión
b. tranquilidad
c. quietud
d. calma

8. fealdad – de apariencia...
a. agradable
b. desagradable
c. divertida
d. buena

9. ¿Que se aprende en este artículo?
a. Las dimensiones de la vivienda pueden afectar la digestión.
b. Hoy día se construyen casas más y más amplias.
c. Para gozar de buena salud mental, uno debe tener espacio suficiente en que vivir.
d. Todo el mundo debe construir cuartos adicionales en su casa.

10. Según el autor, ¿quién tiene más probabilidades de escapar la neurosis?
   a. Una mujer.
   b. Un miembro de la clase baja que vive solo.
   c. Un habitante de un edificio moderno.
   d. Un estudiante en un apartamento tipo "estudio".

Indicar la dificultad: fácil----A B C D E----difícil
Indicar su interés en el tema: interesante----A B C D E----no interesante

EJERCICIOS

A. Completar de memoria:
   1. __ umano
   2. apart __ mentos
   3. __ studio
   4. esta __ o
   5. d __ presión
   6. inf __ rme
   7. neuros __ s
   8. fre __ uente
   9. fa __ tor
   10. resid __ ncial

B. Cambiar a infinitivos:
   1. influye
   2. construye
   3. presentado
   4. verificado
   5. constituye

a substantivos:
   1. alojar
   2. estudiar
   3. estar
   4. tender
   5. informar

C. Indicar sinónimos:
   1. dimensión
   2. casa
   3. apartamento
   4. raro
   5. severo

Antónimos:
   1. destruir
   2. amplio
   3. antiguo
   4. bonito
   5. desagradable

D. Eliminar uno:
   1. vivienda / edificio / angustia
   2. provocar / revelar / causar
   3. crisis / nivel / dificultad
   4. alto / bajo / escaso
   5. depresión / neurosis / tamaño

E. Escribir una lista de palabras relacionadas con:
   1. "La vivienda"
   2. "Las emociones"

F. Contestar cierta o falsa:
   1. La mini-casa puede causar una depresión en el individuo.
   2. La gente neurótica tiende a enfermarse a consecuencia de excesivo espacio.
   3. La neurosis es frecuente en los habitantes de edificios modernos.
   4. La soledad está relacionada con el tipo de vivienda.
   5. La apariencia de una zona afecta la neurosis de un individuo.

G. Responder:

1. ¿La mini-casa o el alojamiento espacioso puede provocar la depresión?
2. ¿La gente que sufre de una neurosis tiende a enfermarse o curarse?
3. ¿Las neurosis son frecuentes o raras en los habitantes de edificios modernos?
4. ¿La neurosis es más frecuente en la mujer o en el hombre?
5. ¿La apariencia de la zona residencial o la medicina preventiva afecta la neurosis de un individuo?

H. Contestar/discutir:

1. ¿Qué tipo de vivienda contribuye a una neurosis?
2. ¿Qué efecto tiene el espacio en la personalidad del individuo?
3. ¿En quién es más frecuente una neurosis relacionada con la falta de espacio?
4. ¿Cuáles son otros factores que pueden provocar una neurosis?
5. ¿En qué tipo de casa vive Vd.?

Clave

Derivado: residir – residencia
colonizar – colonización – colonia
Sufijo: -miento = acto de: rico – enriquecer – enriquecimiento
-ncia = efecto: descender – descendencia

LA INFLUENCIA HISPANICA
Segundo grupo minoritario en los EEUU

Se estima que 19 millones de hispanoamericanos viven en los EEUU; es decir, una de cada diez personas que residen en los Estados Unidos es de descendencia hispánica. Este grupo representa el segundo minoritario en *tamaño (1)* y el sector de más rápido *crecimiento (2)* de la población estadounidense.

La historia de la gente de habla española en las Américas *se remonta al (3)* siglo 16 cuando los españoles establecen colonias en el Nuevo Mundo para reclamar tierras y territorio en nombre del rey de España, Felipe II. Las ciudades, los estados, los ríos, las montañas en el oeste americano con nombres españoles reflejan la *temprana (4)* colonización de los españoles, especialmente en el sudoeste del país.

La variada herencia de los hispanoamericanos es una *fuente (5)* de enriquecimiento cultural para el país. Los hispanos *hacen un papel de (6)* más y más importancia en el comercio, la educación, el gobierno, las artes, y *los deportes (7)* americanos. Su gente, que tradicionalmente ha vivido en ciertos centros de población o en determinadas áreas geográficas, ahora empieza a *radicarse (8)* por todos los sectores del país. La influencia e importancia de la gente hispana ya no puede ignorarse.

Famous Hispanoamericans

1. tamaño
a. magnitud
b. número
c. dimensión
d. a, b y c

2. crecimiento
a. reducción
b. disminución
c. aumento
d. restricción

3. se remonta al
a. comienza
b. finaliza
c. termina
d. concluye

4. temprana
a. incierta
b. falsa
c. inexacta
d. inmediata

5. fuente
a. conflicto
b. combate
c. origen
d. guerra

6. hacen un papel de
a. tienen
b. quieren
c. desean
d. prefieren

7. deportes – por ejemplo...
a. el béisbol
b. el boxeo
c. la natación
d. a, b y c

8. radicarse
a. sufrir
b. tolerarse
c. establecerse
d. resignarse

9. ¿Qué se aprende en este artículo?
a. La gente hispana es un grupo de inmigrantes relativamente reciente en los EEUU.
b. Hay más hispanoamericanos en los EEUU que todas las otras minorías combinadas.
c. Los hispanos han establecido colonias en los estados donde solamente permiten la comunicación en español.
d. La gente de los EEUU es multinacional y la herencia hispánica es parte importante de su carácter.

10. ¿Cuál de los siguientes es un nombre geográfico de origen español?
   a. Louisiana.
   b. Indiana.
   c. Chicago.
   d. Los Angeles.

Indicar la dificultad: fácil----A   B   C   D   E----difícil
Indicar su interés en el tema: interesante----A   B   C   D   E----no interesante

EJERCICIOS

A. Completar de memoria:

   1. __ ersona
   2. desc __ ndencia
   3. grup __
   4. seg __ ndo
   5. col __ nias

   6. est __ do
   7. __ este
   8. h __ rencia
   9. c __ mercio
   10. sect __ r

B. Cambiar a infinitivos:

   1. se estima
   2. residen
   3. representa
   4. se remonta
   5. reflejan

a substantivos:

   1. descender
   2. crecer
   3. poblar
   4. colonizar
   5. gobernar

a derivados en -miento:

   1. crecer
   2. enriquecer
   3. empobrecer
   4. mover
   5. sufrir

C. Indicar sinónimos:

   1. magnitud
   2. aumento
   3. comienzo
   4. inmediato
   5. origen

Antónimos:

   1. mayoritario
   2. finalizar
   3. este
   4. empobrecimiento
   5. tarde

D. Definir:

   _____ residir
   _____ minoritario
   _____ siglo
   _____ rey
   _____ comercio

   1. ser menos
   2. monarca
   3. herencia
   4. cien años
   5. habitar
   6. compra y venta
   7. tolerar

E. Escribir una lista de palabras relacionadas con:
   1. "Los hispanoamericanos"
   2. "La colonización"

F. Contestar cierta o falsa:
   1. Una de cada veinte personas en los EEUU es descendiente de hispanos.
   2. Este grupo es la primera minoría del país.
   3. La influencia hispánica comenzó en el siglo 14.
   4. La herencia hispánica es una fuente de empobrecimiento cultural.
   5. La gente hispana vive solamente en una región del país.

G. Responder:
1. ¿Uno de cada diez o veinte habitantes de los EEUU es de descendencia hispanoamericana?
2. ¿Este grupo es el primer grupo minoritario del país o el segundo?
3. ¿La influencia hispánica comienza en el siglo 14 ó 16?
4. ¿La herencia hispánica es el origen del empobrecimiento o del enriquecimiento cultural de este país?
5. ¿Los hispanoamericanos viven en zonas limitadas o en varios sectores de la nación?

H. Contestar/discutir:
1. ¿Cuántos hispanoamericanos hay en los EEUU?
2. ¿Cuáles son las minorías del país y dónde figuran los hispanos?
3. ¿Cuándo comienza la influencia hispánica?
4. ¿Qué ofrece la herencia hispánica a los EEUU?
5. ¿Cuáles son algunos ejemplos de la influencia hispánica en nuestra cultura?

GROUP IV: Adds Preterite

Pages 109–126

Clave

Derivado: juzgar – juez – justicia
Sinónimo: juzgar = adjudicar

EL DIVORCIO
Permiso de visitas

En un divorcio **concedido (1)** en México a un **matrimonio (2)** sin hijos pero con un perro, el **juez (3)** dio la custodia de **éste (4)** a la mujer y adjudicó al marido el **derecho (5)** de visitar**lo (6)** una vez por **semana (7)**.

Siempre

1. concedido
   a. dado
   b. asentido
   c. permitido
   d. a, b y c

2. matrimonio
   a. el esposo y su amiga
   b. la esposa y su amigo
   c. los esposos
   d. los amigos

3. juez
   a. maestro
   b. marido
   c. policía
   d. magistrado

4. éste
   a. el hombre
   b. el animal
   c. el juez
   d. los hijos

5. derecho
   a. castigo
   b. privilegio
   c. pena
   d. penitencia

6. visitarlo
   a. el esposo
   b. el juez
   c. el perro
   d. la mujer

7. semana – período de . . .
   a. 48 horas
   b. 12 meses
   c. 7 días
   d. 60 segundos

8. ¿Qué se aprende en este artículo?
   a. En algunos aspectos los perros son como los niños.
   b. No hay justicia en este mundo.
   c. La custodia de la mujer es decidida por el hijo.
   d. En un matrimonio con dificultades no hay animales.

Indicar la dificultad: fácil----A B C D E----difícil
Indicar su interés en el tema: interesante----A B C D E----no interesante

EJERCICIOS

A. Completar de memoria:

1. esp __ so
2. mar __ do
3. divor __ io
4. h __ jo
5. m __ jer

6. v __ z
7. sem __ na
8. ami __ o
9. aspect __
10. h __ y

B. Cambiar a infinitivos:

1. concedido
2. asentido
3. permitido
4. dado
5. divorcio

a substantivos:

1. castigar
2. amaestrar
3. visitar
4. juzgar
5. dificultar

C. Indicar sinónimos:

1. permitir
2. privilegio
3. magistrado
4. castigo
5. esposos

Antónimos:

1. divorciarse
2. ninguno
3. prohibir
4. facilidad
5. esposa

D. Definir:

_____ juez
_____ perro
_____ derecho
_____ matrimonio
_____ adjudicar

1. animal
2. separar
3. unión
4. custodia
5. permiso
6. magistrado
7. decidir

E. Escribir una lista de palabras relacionadas con:

1. "La familia"
2. "El matrimonio"

F. Contestar cierta o falsa:

1. Un matrimonio quiere divorciarse.
2. Tienen dos perros y un niño.
3. El juez no adjudica la separación.
4. El marido puede visitar a sus hijos una vez por semana.
5. Se concede el perro a la mujer.

G. Responder:

1. ¿Describe el artículo a una pareja feliz o infeliz?
2. ¿Tiene hijos el matrimonio?
3. ¿Declara el juez válida o inválida la separación?
4. ¿Quién tiene el derecho de visita? ¿él o ella?
5. ¿Quién tiene la custodia del perro? ¿él o ella?

H. Contestar/discutir:

1. ¿Quién se divorcia?
2. ¿Cuántos hijos tienen?
3. ¿Qué hizo el juez?
4. ¿Cuáles son las causas de un matrimonio infeliz?
5. ¿Cuáles son los factores que influyen en un matrimonio feliz?

Clave

Derivado: arriesgar – riesgo
valor – valiente
Expansión: o↔ue: morir – mortal – muerte
Cambio: c↔z: lanzar
Sufijo: -ez = época: niñez

MEDALLA DE VALOR
Heroísmo duplicado

Una medalla de *valor (1)* ha sido **concedida (2)** a Cayetano Rodríguez Cano, de quince años, de una ciudad del sur de España, quien con evidente **riesgo (3)** de su vida, salvó **la (4)** de dos pequeños en el transcurso de unos meses, en ambos casos *lanzándose al agua (5)* para *evitar (6)* la **muerte (7)** segura de los niños.

Siempre

1. valor
a. criado
b. héroe
c. cobarde
d. sirviente

2. concedida
a. recobrada
b. presentada
c. recibida
d. recuperada

3. riesgo – es decir, con gran posibilidad de...
a. ganar dinero
b. perder la vida
c. encontrar metal
d. conocer lo que es la felicidad

4. la de dos pequeños
a. la plata
b. la medalla
c. la vida
d. la ciudad

5. lanzándose al agua
a. entrando en el agua
b. mirándola
c. observándola
d. viéndola

6. evitar
a. apartar
b. comprar
c. adquirir
d. causar

7. muerte – la ausencia de...
a. pulso
b. respiración
c. vida
d. a, b y c

8. Probablemente, el evento tuvo lugar...
a. en la calle.
b. en casa.
c. en un auto.
d. en un río.

9. ¿En qué período de la vida está el héroe?
a. La niñez.
b. La adolescencia.
c. La madurez.
d. La vejez.

10. ¿Qué aprendemos en este artículo?
a. Hay personas en este mundo que sólo piensan en ser famosas.
b. Muchos buscan la fama por medio de actos heroicos.
c. A veces la gente actúa sin pensar en que puede morir ayudando a otros.
d. Dan medallas de valor a los niños pequeños que pueden llegar a los quince años.

Indicar la dificultad: fácil----A B C D E----difícil
Indicar su interés en el tema: interesante----A B C D E----no interesante

EJERCICIOS

A. Completar de memoria:

1. meda __ __ a
2. jo __ en
3. qui __ ce
4. ries __ o
5. mue __ te

6. s __ gura
7. ni __ o
8. rí __
9. su __
10. me __

B. Cambiar a infinitivos:

1. salva
2. lanza
3. muere
4. actúa
5. concede

a substantivos:

1. arriesgar
2. servir
3. morir
4. transcurrir
5. valer

C. Indicar sinónimos:

1. presentar
2. apartar
3. personas
4. héroe
5. los dos

Antónimos:

1. cobarde
2. adulto
3. vida
4. arriesga
5. norte

D. Definir:

_____ medalla

_____ quince

_____ riesgo

_____ mes

_____ ambos

1. los dos
2. pieza de metal
3. peligro
4. número
5. valor
6. héroe
7. unidad de tiempo

E. Formar frases:

1. alguien / salvar / vida / niños
2. joven / recibir / medalla
3. muchacho / evitar / muerte / pequeños
4. Cayetano / ser / héroe
5. gente / ciudad / conceder / honor / joven

F. Contestar cierta o falsa:

1. Cayetano Rodríguez concedió una medalla a un joven de quince años.
2. Este episodio ocurrió en el norte de España.
3. Dos niños murieron en un lago.
4. Un joven salvó la vida de dos pequeños.
5. Un muchacho de 15 años arriesgó su vida para salvar a otros.

G. Responder:

1. ¿Cayetano Rodríguez recibió una medalla o dinero por su acción?
2. ¿El joven se lanzó al agua o a la calle?
3. ¿Dos niños murieron o fueron salvados por el joven?
4. ¿El muchacho salvó la vida a dos niños o les causó la muerte?
5. ¿Cayetano arriesgó o perdió su vida en el acto?

H. Contestar:
1. ¿A quién fue concedida una medalla de valor?
2. ¿Por qué recibió Cayetano Rodríguez una medalla de valor?
3. ¿Cómo arriesgó su vida?
4. ¿Dónde ocurrió este episodio?
5. ¿Sabe Vd. nadar o no?

Clave

Derivado:　permanecer – permanente – permanencia
　　　　　　　pez – pescar – pescado – pescador
Prefijo:　des- = no: deshabitada

UNA "ROBINSON CRUSOE" FEMENINA
Soledad y tranquilidad en el Pacífico

Jane Cooper, una australiana de dieciocho años, ha encontrado la felicidad viviendo *sola (1)* en una isla *deshabitada (2)* al sur del continente australiano donde compone música y escribe poesía. La joven Jane llegó a la isla con la intención de permanecer en ella solamente un año, pero ahora dice que desea vivir en solitario durante toda su vida. Ha declarado que fue a la isla para *olvidarse de (3)* las miserias del mundo y con objeto de encontrarse a sí misma.

Vive bajo una *lona (4)* que ha *colgado (5)* de un árbol a unos 300 metros del agua. *Se alimenta (6)* con *peces (7)* que ella misma pesca del mar y de conservas vegetales que se llevó a la isla.

"Nunca estoy sola", dice, "porque tengo como compañeros a las águilas y otros pájaros, los pingüinos, y las ratas". En su diario está escrita la siguiente frase, "Aquí he *hallado (8)* mi auténtica vida".

Blanco y Negro

1. sola – con...
a. nadie
b. alguien
c. muchos
d. algunos

2. deshabitada – tiene...
a. varias personas
b. pocos habitantes
c. no más que ella allí
d. algunos visitantes

3. olvidarse de
a. recordar
b. estudiar
c. no pensar en
d. meditar

4. lona – algo que...
a. da protección del sol
b. protege a uno de la lluvia
c. cubre un espacio determinado
d. a, b y c

5. ha colgado
a. pintado
b. suspendido
c. comprado
d. entendido

6. se alimenta
a. se duerme
b. se acuesta
c. se despierta
d. se da de comer

7. peces – animales...
a. subterráneos
b. acuáticos
c. terrestres
d. del espacio

8. he hallado
a. encontrado
b. descubierto
c. visto
d. a, b y c

9. ¿De qué habla el artículo?
a. De una estudiante que se dedica a observar la flora y fauna australianas.
b. De una muchacha que se especializa en descubrir tierras desconocidas, pero habitadas de reptiles.
c. De una profesora joven que hace investigaciones para la tesis doctoral.
d. De una señorita que busca la soledad en un lugar despoblado.

10. ¿Cuánto tiempo piensa quedarse en la isla?
a. Un año.
b. Hasta encontrarse a sí misma.
c. Tal vez hasta la muerte.
d. Va a casarse el año próximo.

Indicar la dificultad: fácil----A　B　C　D　E----difícil
Indicar su interés en el tema: interesante----A　B　C　D　E----no interesante

EJERCICIOS

A. Completar de memoria:
1. isl __
2. cont __ nente
3. mús __ ca
4. obj __ to
5. metr __

6. mi __ eria
7. c __ mpañero
8. f __ ase
9. __ quí
10. á __ bol

B. Cambiar a infinitivos:
1. encontrado
2. deshabitado
3. declarado
4. colgado
5. hallado

a substantivos:
1. permanecer
2. conservar
3. acompañar
4. intentar
5. felicitar

C. Indicar sinónimos:
1. encontrado
2. desear
3. comer
4. soledad
5. océano

Antónimos:
1. acompañado
2. habitado
3. norte
4. recordar
5. miseria

D. Definir:
_____ componer
_____ permanecer
_____ desear
_____ olvidarse
_____ pescar

1. no salir
2. colgar
3. no recordar
4. alimentar
5. querer
6. escribir
7. conservar

E. Clasificar (a) Flora, (b) Fauna:
1. ratas
2. árboles
3. pingüinos
4. rosas
5. patatas

6. peces
7. águilas
8. pájaros
9. elefantes
10. canguros

F. Contestar cierta o falsa:
1. Una señorita está viviendo sola en Australia.
2. Fue a una isla para estudiar los animales.
3. Quiere permanecer en la isla por seis años.
4. Se ha construido una casa elegante en la isla.
5. Se alimenta de los pájaros que pesca en el mar.

G. Responder:
1. ¿Una australiana vive sola o con compañeros en una isla?
2. ¿Fue a la isla para estudiar o para olvidarse del mundo?
3. ¿Piensa permanecer en la isla un año o toda la vida?
4. ¿Vive en una casa o debajo de una lona?
5. ¿Se alimenta de peces o de pájaros?

H. Contestar/discutir:
1. ¿Quién vive solo en una isla?
2. ¿Dónde está y cómo es la isla?
3. ¿Por qué está viviendo sola allí la muchacha?
4. ¿Qué se encuentra en la isla?
5. ¿Por qué (no) quiere Vd. vivir solo en una isla?

117

Clave

Derivado: iniciar – iniciación
presidir – presidente – presidencia

TRUMAN
Padre de la política internacional

Harry Truman está muerto, pero el mundo todavía vive de muchas de sus decisiones. Para bien o para mal, durante los ocho años que estuvo en la presidencia de los EEUU, él puso los *cimientos (1)* de la sociedad internacional que ahora existe. El terror atómico se inició bajo su autoridad, con las explosiones de Hiroshima y Nagasaki. La OTAN (Organización del Tratado del Atlántico Norte) *nació (2)* por su decisión también y dentro de una idea del General Marshall. Europa pudo *resucitar (3)* en gran parte después de la segunda guerra mundial gracias a su *ayuda (4)*. Para los historiadores y para la gente del mundo, Harry Truman fue uno de los presidentes más importantes de su país.

Blanco y Negro

1. cimientos
a. bases
b. orígenes
c. principios
d. a, b y c

2. nació
a. llegó al mundo
b. salió
c. terminó
d. murió

3. pudo resucitar
a. destruir su país
b. ser renovada
c. perder una fortuna
d. encontrar la miseria

4. ayuda
a. negligencia
b. ineptitud
c. asistencia
d. estupidez

5. ¿Qué se aprende en este artículo?
a. Truman fue el último presidente de los EEUU.
b. Mucha de la política del mundo actual fue empezada bajo su dirección.
c. La OTAN desapareció gracias a su falta de habilidad.
d. En realidad Truman fue un presidente de poca fama y de poca importancia.

Indicar la dificultad: fácil----A B C D E----difícil
Indicar su interés en el tema: interesante----A B C D E----no interesante

EJERCICIOS

A. Completar de memoria:

1. d __ cisión
2. pres __ dencia
3. s __ ciedad
4. __ tómico
5. a __ toridad

6. expl __ sión
7. ide __
8. g __ erra
9. hist __ riador
10. important __

B. Cambiar a infinitivos:

1. muerto
2. estuvo
3. puso
4. inició
5. pudo

a substantivos:

1. decidir
2. presidir
3. autorizar
4. explotar
5. ayudar

C. Indicar sinónimos:

1. base
2. llegó al mundo
3. renovarse
4. asistencia
5. idea

Antónimos:

1. inteligencia
2. aparecer
3. nacional
4. murió
5. perder

D. Definir:

_____ OTAN
_____ EEUU
_____ TWA
_____ FDR
_____ CIA

1. pacto de defensa mutua
2. servicio de inteligencia
3. antiguo presidente
4. compañía aérea
5. bomba atómica
6. Estados Unidos
7. sociedad secreta

E. Escribir una lista de:

1. verbos en pretérito (4)
2. verbos en perfecto (2)
3. verbos en infinitivo (1)
4. substantivos en femenino (10)
5. substantivos en masculino (6)

F. Contestar cierta o falsa:

1. Truman fue presidente de los EEUU.
2. Estuvo en la presidencia ocho años.
3. Fue el presidente responsable del bombardeo de Hiroshima.
4. Autorizó el Plan Marshall después de la primera guerra mundial.
5. Los historiadores lo consideran importante.

G. Responder:

1. ¿Truman fue un presidente de los EEUU o de la OTAN?
2. ¿Estuvo en la presidencia cuatro u ocho años?
3. ¿Fue él el responsable del bombardeo atómico de Hiroshima o de Europa?
4. ¿Autorizó el Plan Marshall después de la primera o la segunda guerra mundial?
5. ¿Los historiadores lo consideran de mucha o de poca importancia?

H. Contestar/discutir:

1. ¿Quién fue Harry Truman?
2. ¿Cuántos años estuvo en la presidencia?
3. ¿Qué papel tuvo en el uso de la bomba atómica?
4. ¿Qué fue el Plan Marshall?
5. ¿Para Vd., cuál es el presidente más importante de los EEUU?

Clave

Derivado: lengua – lenguaje
Expansión: o ⟵→ ue: poblar – población – pueblo
Gramática: -ndo = en progreso: descubrir – descubriendo
Cambio: v ⟵→ b: probar
Sinónimo: continuar = seguir

EL TELEFONO Y EL LASER
Comunicación rápida y económica

Los científicos siguen descubriendo cosas. Ahora es el teléfono lo que *requiere (1)* su atención. Han *comprobado (2)* que el rayo laser permite transmitir oscilaciones electromagnéticas. Traducido esto al lenguaje de la calle, quiere decir que se puede transmitir una enorme cantidad de información simultánea. Durante meses se ha utilizado *este medio (3)* entre la capital de Armenia (República Soviética Transcaucásica) y el centro astrofísico situado en Viurakán, pueblo montañés. La experiencia, realizada por científicos de la Universidad de Ereván y de la Academia Nacional de Ciencias, *fue un éxito (4)*. Ahora, se preparan otras pruebas con instalaciones más potentes. El laser es, pues, un rayo de utilidad en las comunicaciones.

Blanco y Negro

1. requiere
   a. atrae
   b. llama
   c. necesita
   d. a, b y c

2. han comprobado
   a. verificado
   b. negado
   c. rechazado
   d. dudado

3. este medio – es decir...
   a. el rayo laser
   b. el lenguaje
   c. la información
   d. los científicos

4. fue un éxito – en otras palabras, tuvieron resultados...
   a. inconsecuentes
   b. malos
   c. significantes
   d. imprecisos

5. ¿Qué se aprende en este artículo?
   a. El rayo laser tiene una gran potencialidad destructiva.
   b. Con el rayo laser, no se necesita un teléfono para llamar a alguien.
   c. Los científicos han podido adaptar el laser al sistema telefónico.
   d. El descubrimiento del laser no tiene ninguna utilidad práctica.

Indicar la dificultad: fácil----A B C D E----difícil
Indicar su interés en el tema: interesante----A B C D E----no interesante

EJERCICIOS

A. Completar de memoria:
1. cient _́_ fico
2. at __ nción
3. ray __
4. len __ uaje
5. __ norme

6. capita __
7. pu __ blo
8. acad __ mia
9. pot __ nte
10. __ tilidad

B. Cambiar a infinitivos:
1. siguen
2. requiere
3. permite
4. fue
5. se preparan

a substantivos:
1. telefonear
2. atender
3. oscilar
4. informar
5. probar

a gerundios en -ndo:
1. descubrir
2. transmitir
3. traducir
4. comunicar
5. transformar

C. Indicar sinónimos:
1. necesitar
2. verificar
3. significante
4. lengua
5. aplicación

Antónimos:
1. inconsecuente
2. bueno
3. impreciso
4. insignificante
5. constructivo

D. Eliminar uno:
1. aceptar / rechazar / negar
2. recibir / transmitir / mover
3. grande / insignificante / enorme
4. positivo / negativo / éxito
5. resultado / prueba / descubrimiento

E. Escribir una lista de palabras relacionadas con:
1. "Los científicos"
2. "El rayo laser"

F. Contestar cierta o falsa:
1. El laser es un invento reciente.
2. Es posible transmitir dinero por el rayo laser.
3. El invento permite la transmisión simultánea de mucha información.
4. Se utiliza el rayo laser para la comunicación por teléfono.
5. Se considera el laser un descubrimiento importante para el futuro.

G. Responder:
1. ¿El laser es un invento nuevo o tiene ya una larga historia?
2. ¿Es posible transmitir dinero o información por laser?
3. ¿El rayo permite o prohibe la transmisión simultánea de mucha información?
4. ¿Se usa el laser para la comunicación por teléfono o para los viajes interespaciales?
5. ¿Se considera el laser un descubrimiento positivo o negativo para el futuro?

H. Contestar/discutir:
1. ¿Cuándo se inventó el rayo laser? ¿el teléfono?
2. ¿Qué puede transmitirse por el laser?
3. ¿Qué permite el rayo laser que no puede hacerse con otros medios de comunicación?
4. ¿Cuáles son algunas de las aplicaciones del laser?
5. ¿Dónde ha visto Vd. un ejemplo de un laser?

Clave

Derivado: debilitar – débil – debilitado
agradar – agradable
interrogar – interrogado – interrogación
festejar – festivo – fiesta
Expansión: e ←→ ie: sestear – siesta
Antónimo: extranjero ≠ nativo

LOS ESPAÑOLES Y LA SIESTA
¿Habitual u ocasional?

Muchos personajes célebres extranjeros, entre ellos Winston Churchill, adoptaron la costumbre española de dormir la siesta. Sin embargo, no son tantos los españoles que se pueden permitir *descansar (1) un rato (2)* después de la hora de comer. Recientemente se ha hecho una *encuesta (3)* entre doscientas sesenta y cuatro personas, de las que cuarenta y una *pertenecen al sexo débil (4)*. Los resultados son interesantes: sólo doce personas duermen la siesta habitualmente; durante las vacaciones y los días festivos lo hacen treinta y una; no la duermen, o si lo hacen es ocasionalmente, ciento cuatro; no tienen tiempo para *sestear (5)* noventa y ocho personas; y no tienen interés en la siesta porque *no les agrada (6)*, diecinueve. *Hecho (7)* curioso: ninguna de las mujeres interrogadas puede permitirse dormir la siesta.

Blanco y Negro

1. descansar
a. cultivar
b. relajar
c. laborar
d. trabajar

2. un rato
a. poco tiempo
b. unos minutos
c. media hora, por ejemplo
d. a, b y c

3. una encuesta
a. un examen
b. un estudio
c. una inspección
d. a, b y c

4. pertenecen al sexo débil
– son...
a. hombres
b. mujeres
c. adultos
d. niños

5. sestear
a. contestar las preguntas
b. ir de vacaciones
c. dormir la siesta
d. interrogar a la gente

6. no les agrada
a. no les interesa
b. no les hace falta
c. no les queda tiempo
d. no les molesta

7. Hecho
a. Algo
b. Cosa
c. Resultado
d. a, b y c

8. ¿Qué se aprende en este artículo?
a. La mayoría de las personas interrogadas duerme un poco después de la hora de comer.
b. Los conceptos que tenemos de otras sociedades no siempre reflejan la realidad.
c. Evidentemente, las mujeres requieren más horas de descanso diariamente que los hombres.
d. Las costumbres de un país generalmente tienen una influencia en la manera en que la gente se divierte.

Indicar la dificultad: fácil----A B C D E----difícil
Indicar su interés en el tema: interesante----A B C D E----no interesante

EJERCICIOS

A. Completar de memoria:

1. extran __ ero
2. costum __ re
3. sie __ ta
4. __ omer
5. result __ do

6. intere __ ante
7. vacac __ ones
8. curi __ so
9. nin __ uno
10. __ cho

B. Cambiar a infinitivos:

1. célebre
2. siesta
3. interés
4. ocasión
5. fiesta

a substantivos:

1. sestear
2. acostumbrar
3. encuestar
4. resultar
5. inspeccionar

a palabras en -ión:

1. adoptar
2. ocasionar
3. inspeccionar
4. contestar
5. interrogar

C. Indicar sinónimos:

1. relajar
2. estudio
3. resultado
4. dormir
5. gustar

Antónimos:

1. hombre
2. adulto
3. minoría
4. ficción
5. interrogar

D. Definir:

_____ extranjero
_____ célebre
_____ costumbre
_____ doce
_____ débil

1. de otro país
2. siesta
3. una docena
4. dormir
5. hábito
6. famoso
7. no fuerte

E. Escribir palabras relacionadas con:

1. "El dormir"
2. "Los números"

F. Contestar cierta o falsa:

1. Muchos extranjeros tienen la costumbre de dormir la siesta.
2. Todos los españoles descansan habitualmente un rato durante el día.
3. A las mujeres les gusta la siesta más que a los hombres.
4. Se duerme la siesta mayormente durante las vacaciones.
5. La siesta se duerme, normalmente, después de la hora de comer.

G. Responder:

1. ¿Muchos o pocos extranjeros han adoptado la costumbre de dormir la siesta?
2. ¿Los hombres o las mujeres descansan un rato por la tarde?
3. ¿A la mujer le gusta o no le gusta dormir la siesta?
4. ¿Se duerme la siesta principalmente durante las vacaciones o sólo ocasionalmente?
5. ¿Las mujeres o los hombres requieren más horas de descanso?

H. Contestar/debatir:

1. ¿Es popular la costumbre de la siesta? ¿Cómo lo sabemos?
2. ¿Quiénes duermen la siesta?
3. ¿Cuándo se duerme la siesta, principalmente?
4. ¿A Vd. le gusta descansar después de comer?
5. ¿Duermen la siesta Vd. y sus amigos? ¿Cuándo?

Clave

Derivado: fugar – fugitivo
                perder – pérdida – perdido
                contar – contable – cuenta
                devolver – devuelto
Prefijo: extra- = fuera: extraviar

ANIMAL PERDIDO
Sociedad protectora para los amigos del hombre

Veinte mil animales domésticos se pierden en Holanda todos los años. Los *dueños (1)* de estos perros, gatos, o pájaros se vuelven locos buscándolos. ¿Cómo encontrar al *loro (2)* que *se fugó (3)*? Los holandeses han creado una organización, única en el mundo, que *gratuitamente (4)* los encuentra y los devuelve a su casa. "Amivedi", que así se llama la oficina, cuenta con más de 70 direcciones dedicadas a esta *tarea (5)*. Una vez localizado el animal, lo envían a la sociedad protectora para después buscar su dueño. La directora del servicio dice que los animales domésticos dependen mucho del hombre. El gato es de los pocos que puede *sobrevivir (6)* sin su *ayuda (7)* pero pronto se vuelven salvajes. Un 90 por 100 de los perros perdidos son devueltos a sus casas; con los gatos, el porcentaje es de un 55 por 100. Es importante registrar la pérdida en seguida. Entonces la probabilidad de encontrarlos es muy grande. La policía coopera con la sociedad protectora y otros muchos organismos que tienen algo que ver con los animales *extraviados (8)*.

Blanco y Negro

1. dueños – se refiere a . . .
    a. los animales
    b. los amos
    c. los dementes
    d. las organizaciones

2. loro
    a. ave multicolor
    b. cocodrilo
    c. hipopótamo
    d. jirafa

3. se fugó
    a. se quejó
    b. se levantó
    c. se decidió
    d. se escapó

4. gratuitamente
    a. sin pagar
    b. por mucho dinero
    c. con dificultad
    d. difícilmente

5. tarea
    a. trabajo
    b. misión
    c. propósito
    d. a, b y c

6. sobrevivir
    a. morir
    b. continuar vivo
    c. terminar la vida
    d. enfermarse

7. ayuda
    a. persecución
    b. molestia
    c. asistencia
    d. tortura

8. extraviados
    a. selváticos
    b. matados
    c. perdidos
    d. gratuitos

9. ¿Qué se aprende en este artículo?
    a. Ahora en Holanda es más fácil localizar los animales extraviados.
    b. "Amivedi" es una organización holandesa que elimina a los animales enfermos.
    c. Hay un gran problema en Holanda con el abuso de animales domésticos.
    d. A los holandeses no les importa si pierden su perro o gato.

10. Si Vd. pierde un animal doméstico en Holanda...

    a. hay más probabilidad de encontrarlo si es un perro.

    b. primero debe informarle a la policía o a "Amivedi".

    c. después de localizarlo, la organización se lo devuelve.

    d. a, b y c

Indicar la dificultad: fácil----A B C D E----difícil

Indicar su interés en el tema: interesante----A B C D E----no interesante

EJERCICIOS

A. Completar de memoria:

1. __ nimal
2. lor __
3. org __ nización
4. s __ ciedad
5. ser __ icio
6. hom __ re
7. pron __ o
8. impor __ ante
9. c __ codrilo
10. fugit __ vo

B. Cambiar a infinitivos:

1. doméstico
2. organización
3. devuelve
4. coopera
5. extraviado

a substantivos:

1. dirigir
2. enloquecerse
3. proteger
4. perder
5. servir

C. Indicar sinónimos:

1. 20.000
2. escaparse
3. trabajo
4. localizar
5. asistencia

Antónimos:

1. encontrarse
2. salvaje
3. vivir
4. fácilmente
5. sobrevivir

D. Definir:

_____ perderse

_____ cocodrilo

_____ policía

_____ loro

_____ único

1. pájaro
2. no hay otro
3. desaparecer
4. doméstico
5. reptil
6. encontrar
7. organización protectora

E. Clasificar (a) Reptil, (b) Mamífero:

1. gato
2. perro
3. serpiente
4. elefante
5. cocodrilo
6. hipopótamo
7. tigre
8. tortuga

F. Contestar cierta o falsa:

1. Se pierden pocos animales en Holanda en un año.
2. Amivedi es una organización para la eliminación de animales domésticos.
3. Los perros son más independientes que los gatos.
4. Los gatos se pierden más que los perros.
5. La policía no quiere cooperar con Amivedi.

G. Responder:
1. ¿Muchos o pocos animales se pierden en un año en Holanda?
2. ¿Amivedi quiere eliminar los animales domésticos o los quiere reunir con sus dueños?
3. ¿Cuáles son más independientes, los perros o los gatos?
4. ¿Cuál se pierde con más frecuencia, un perro o un gato?
5. ¿Coopera la policía con Amivedi o no quiere tener nada que ver con la organización?

H. Contestar/debatir:
1. ¿Qué les pasa a los animales en Holanda?
2. ¿Qué es Amivedi?
3. ¿Cómo es el carácter de los perros y los gatos?
4. ¿Tiene Vd. animales domésticos en su casa?
5. ¿Qué hace la policía con los animales extraviados en los EEUU? ¿Por qué?

GROUP V: Adds Imperfect

Pages 128–139

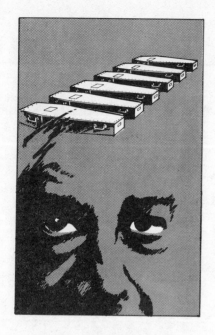

Clave

Derivado: comprar – compra
morir – mortuario – muerte   vecino – vecindad
Expansión: e⟷ie: terreno – tierra – entierro

COMPRA EXTRAORDINARIA
La venganza frustrada

El señor Adilson Campestrini vive en Nova Almeida, Brasil. Un día, Campestrini fue a una *agencia funeraria (1)* y compró seis *ataúdes (2)*. El *dueño (3)* de la agencia, *extrañado (4)* por la compra, se lo dijo a la policía. Y *ésta (5)* descubrió muy pronto las intenciones de Campestrini: pensaba *matar (6)* a Getulio Nascimiento, su vecino, y a toda la familia de éste, compuesta justamente por seis miembros.

Special permission granted by
Lazarillo and *Adelante*,
published by Xerox Corporation

1. **agencia funeraria** – una tienda que se ocupa de los . . .
   a. vivos
   b. muertos
   c. enfermos
   d. a, b y c

2. **ataúdes** – cofre donde se mete . . .
   a. un cadáver
   b. el dinero
   c. un animal
   d. la ropa

3. **dueño**
   a. dependiente
   b. comprador
   c. propietario
   d. cliente

4. **extrañado**
   a. estaba sorprendido
   b. tenía curiosidad
   c. fue impresionado
   d. a, b y c

5. **ésta** – se refiere al (a la) . . .
   a. brasileño
   b. agencia
   c. policía
   d. compra

6. **matar**
   a. asesinar
   b. festejar
   c. divertir
   d. invitar

7. ¿Por qué fue descubierta la intención de Campestrini?
   a. El mismo se lo dijo a la policía.
   b. Es raro tener seis entierros al mismo tiempo sin ninguna publicidad.
   c. No tenía la intención de pagar al dueño de la agencia.
   d. La policía lo encontró en el acto de atacar a Nascimiento.

8. ¿Cómo se puede caracterizar la relación entre Campestrini y Nascimiento?
   a. Son hermanos.
   b. Son amigos.
   c. Son dueños.
   d. Son enemigos.

Indicar la dificultad: fácil----A B C D E----difícil
Indicar su interés en el tema: interesante----A B C D E----no interesante

EJERCICIOS

A. Completar de memoria:
1. agenc __ a
2. cadáv __ r
3. cofr __
4. pron __ o
5. mat __ r

6. vec __ no
7. famil __ a

B. Cambiar a infinitivos:
1. fue
2. extrañado
3. dijo
4. descubrió
5. tenía

a substantivos:
1. comprar
2. intentar
3. componer
4. morir
5. sorprender

C. Indicar sinónimos:
1. asesinar
2. tener intención
3. policía
4. propietario
5. cofre

Antónimos:
1. muerto
2. cliente
3. amigo
4. vender
5. desenterrar

D. Escribir frases:
1. hombre / agencia / comprar / ataúdes
2. dueño / sorprender / compra
3. policía / descubrir / intenciones / hombre
4. pensar / matar / vecino
5. familia / vecino / seis / miembros

E. Indicar el orden correcto:
1. Se lo dijo a la policía.
2. La policía descubrió sus intenciones.
3. Adilson Campestrini vive en Brasil.
4. Compró seis cofres.
5. El dueño de la agencia funeraria se extrañó de la compra.

F. Contestar cierta o falsa:
1. Un brasileño compró seis cofres en un solo día.
2. El dueño de la agencia funeraria sabía por qué.
3. Se lo dijo a su vecino.
4. El comprador tenía intenciones serias para las ataúdes.
5. El brasileño pensaba celebrar una fiesta para sus amigos.

G. Responder:
1. ¿Un brasileño compró seis o siete cofres en un solo día?
2. ¿El dueño de la agencia funeraria sabía el porqué o estaba extrañado por la compra?
3. ¿Se lo dijo al vecino o a la policía?
4. ¿Tenía buenas o malas intenciones el comprador?
5. ¿Pensaba celebrar una fiesta o matar a una familia?

H. Contestar/debatir:
1. ¿Qué compró un brasileño?
2. ¿Qué le pareció la compra al agente? ¿Por qué?
3. ¿A quién se lo dijo?
4. ¿Qué descubrió la policía?
5. ¿Qué piensa Vd. de la idea de Adilson Campestrini?

Clave

Sufijo: -illo = pequeño: animal – animalillo
-ería = tienda de: café – cafetería
-miento = acto de: reconocer – reconocimiento

ESCORPION
Una sorpresa chocante

Santino Bresciani, de 44 años, empleado de la *firma (1)* que dirige la cafetería de los obreros del aeropuerto Leonardo da Vinci en Roma, sufrió un gran *sobresalto (2)* cuando, mientras desayunaba, descubrió un escorpión en la botella de agua mineral que consumía. Bresciani *puso el tapón (3)* a la botella y se la *entregó (4)* al Departamento de Sanidad para un análisis; después ingresó en la consulta de un médico para un reconocimiento general.

Ya

1. firma
a. empresa
b. escuela
c. colegio
d. universidad

2. sobresalto
a. choque
b. sorpresa
c. alarma
d. a, b y c

3. puso el tapón
a. vio
b. observó
c. cubrió
d. miró

4. entregó
a. dio
b. recibió
c. devolvió
d. aceptó

5. ¿Qué se aprende en este artículo?
a. Es normal encontrar animales en las botellas de agua mineral.
b. Un escorpión es un animalillo italiano.
c. Un hombre tomó un café mientras comía y se enfermó.
d. Es importante mirar bien una botella antes de beber algo de ella.

Indicar la dificultad: fácil----A B C D E----difícil
Indicar su interés en el tema: interesante----A B C D E----no interesante

EJERCICIOS

A. Completar de memoria:

1. — mpleado
2. obr __ ro
3. aer __ puerto
4. __ scorpión
5. bote __ __ a
6. minera __
7. tap _´_ n
8. sanid __ d
9. c __ nsulta
10. __ eneral

B. Cambiar a infinitivos:

1. sufrió
2. descubrió
3. puso
4. entregó
5. ingresó

a substantivos:

1. emplear
2. obrar
3. analizar
4. embotellar
5. consultar

a derivados en -miento:

1. reconocer
2. mover
3. pensar
4. funcionar
5. mandar

C. Indicar sinónimos:

1. empresa
2. choque
3. dar
4. entrar
5. obrero

Antónimos:

1. cubrir
2. animal grande
3. abrir
4. devolver
5. salir

D. Definir:

_____ consulta	1. donde se sirven comidas
_____ beber	2. encontrar
	3. oficina
_____ cafetería	4. tomar líquido
_____ animalillo	5. el desayuno
	6. insecto
_____ descubrir	7. observar

E. Escribir una lista de palabras relacionadas con:

1. "El desayuno"
2. "La visita al médico"

F. Contestar cierta o falsa:

1. El señor Bresciani es empleado de una cafetería.
2. La cafetería está en el aeropuerto.
3. Alguien puso un escorpión en el café del obrero.
4. El hombre sufrió un ataque al corazón y se murió.
5. Entregó la botella a un médico.

G. Responder:

1. ¿Santino Bresciani trabaja en una cafetería o en el aeropuerto?
2. ¿El aeropuerto está en Roma o en Madrid?
3. ¿Encontró un escorpión en una botella o en su café?
4. ¿Sufrió la víctima un ataque mortal o un sobresalto?
5. ¿Le entregó la botella al médico o al Departamento de Sanidad?

H. Contestar/discutir:

1. ¿Quién es Santino Bresciani y dónde trabaja?
2. ¿Qué descubrió al desayunarse?
3. ¿Qué hizo con la botella?
4. ¿Por qué fue a la consulta de un médico?
5. ¿Qué le causa sorpresa a Vd.?

131

Clave

Derivado: aparcar – aparcado – aparcamiento
expulsar – expulsión
Sinónimo: demasiado = excesivo
Antónimo: paz ≠ conflicto

EN DEFENSA DE UN POLICIA
La compasión de un pueblo

En Marden, Inglaterra, la población se ha declarado en defensa de un agente de policía, Bill Othen, a quien se presentó *la amenaza (1)* de expulsión del Cuerpo por ser *demasiado (2) condescendiente (3)*. En dieciséis años de servicio Bill Othen no *puso* nunca una *multa (4)* ni arrestó a nadie. Se limitaba a cambiar de sitio los coches mal aparcados y a acompañar a casa a los delincuentes que no abandonaba sin darles un discurso recriminatorio. De esa manera el agente mantenía la paz, pero era una forma muy individualista que finalmente disgustó a los superiores.

Blanco y Negro

1. **la amenaza**
   a. la posibilidad
   b. la ocasión
   c. la probabilidad
   d. a, b y c

2. **demasiado**
   a. poco
   b. excesivamente
   c. casi nada
   d. no mucho

3. **condescendiente**
   a. antipático
   b. desagradable
   c. complaciente
   d. cruel

4. **poner** una **multa**
   a. montar en bicicleta
   b. citar una infracción
   c. usar una motocicleta
   d. tener transportación

5. ¿Qué se puede decir del carácter de Bill Othen?
   a. Es un hombre que no piensa en los problemas de otros.
   b. Es totalmente insensible a los demás.
   c. Trata de respetar la integridad de los otros.
   d. Tiene una actitud intolerante hacia los delincuentes.

Indicar la dificultad: fácil----A B C D E----difícil
Indicar su interés en el tema: interesante----A B C D E----no interesante

EJERCICIOS

A. Completar de memoria:

1. pobl __ ción
2. defen __ a
3. expul __ ión
4. delin __ uente
5. disc __ rso

6. __ gente
7. nun __ a
8. __ adie
9. s __ tio
10. acompa $\tilde{}$ ar

B. Cambiar a infinitivos:

1. población
2. declarado
3. amenaza
4. aparcado
5. abandonado

a substantivos:

1. defender
2. expulsar
3. servir
4. situar

C. Indicar sinónimos:

1. policía
2. detener
3. jefe
4. excesivo
5. infracción

Antónimos:

1. simpático
2. gustar
3. guerra
4. tolerante
5. inferior

D. Eliminar uno:

1. agente / policía / delincuente
2. mucho / excesivo / demasiado
3. cruel / antipático / simpático
4. bicicleta / coche / motocicleta
5. insensible / intolerante / complaciente

E. Indicar el orden correcto:

1. Finalmente disgustó a los superiores.
2. La gente lo ha defendido.
3. El policía no arrestó a nadie.
4. Bill Othen fue policía durante dieciséis años.
5. Fue expulsado por ser demasiado condescendiente.

F. Contestar cierta o falsa.

1. Un pueblo ha defendido a uno de sus agentes.
2. Un agente ha arrestado a su superior.
3. El policía trataba de respetar la integridad de los otros.
4. Ese policía no sabía mantener la paz.
5. Los superiores quieren expulsar al agente del cuerpo.

G. Responder:

1. ¿Un pueblo ha defendido u ofendido a uno de sus agentes?
2. ¿Un agente arrestó a alguien o no arrestó a nadie?
3. ¿El agente respetaba o no respetaba a los otros?
4. ¿Sabía mantener la paz o tenía problemas con los delincuentes?
5. ¿Sus superiores lo quieren expulsar o darle una multa?

H. Contestar/discutir:

1. ¿Qué piensa la población de su cuerpo de policía?
2. ¿Quién ha arrestado a quién?
3. ¿Qué trataba de hacer el agente, Bill Othen? ¿Cómo?
4. ¿Cómo solucionó los problemas con los delincuentes?
5. ¿Cómo ve Vd. a la policía, ¿cómo amigos o enemigos? ¿Por qué?

Clave

Derivado: vigilar – vigilado – vigilante
centro – central – céntrico
manifestar – manifestación – manifestante
Antónimo: baja ≠ alta

QUIEREN SITIOS DONDE JUGAR
Manifestación juvenil en centro ciudad

Recientemente en Hamburgo tuvo lugar una curiosa manifestación. Varios *centenares (1)* de niños, entre los tres y los seis años, *vigilados (2)* por sus padres, *recorrieron (3)* las calles céntricas de la ciudad mientras *gritaban (4)* "¡Queremos jugar!" "¡Queremos parques donde jugar!" Los manifestantes llegaron hasta el *Ayuntamiento (5)* y expresaron allí sus pretensiones. Los niños hamburgueses *reclaman (6)* del *alcalde (7)* la construcción de más parques infantiles.

Blanco y Negro

1. centenares –es decir, unos . . .
a. 10
b. 100
c. 1.000
d. 1.000.000

2. vigilados por sus padres
– es decir, . . .
a. abandonados
b. ignorados
c. acompañados
d. descuidados

3. recorrieron
a. decoraron
b. adornaron
c. visitaron
d. pintaron

4. gritaban
a. escuchaban
b. decían en voz alta
c. expresaban en voz baja
d. contestaban

5. Ayuntamiento
a. edificio público
b. centro del gobierno municipal
c. lugar administrativo
d. a, b y c

6. reclaman
a. piden
b. imploran
c. suplican
d. a, b y c

7. alcalde
a. dueño de un restaurante
b. profesor
c. oficial municipal
d. carpintero

8. ¿Qué se aprende en este artículo?
a. Los niños a veces emplean las tácticas de los adultos para conseguir lo que quieren.
b. Los padres de Hamburgo no cuidan bien a sus hijos.
c. Los niños expresan su deseo de tener mejores escuelas.
d. Las manifestaciones violentas no tienen lugar exclusivamente entre los estudiantes universitarios.

Indicar la dificultad: fácil----A B C D E----difícil
Indicar su interés en el tema: interesante----A B C D E----no interesante

EJERCICIOS

A. Completar de memoria:

1. manifes __ ación
2. var __ os
3. ca __ __ e
4. parq __ e
5. infant __ l

6. l __ gar
7. j __ gar
8. ni __ o
9. __ nfante
10. tr __ s

B. Cambiar a infinitivo:

1. manifestación
2. vigilado
3. ignorado
4. construcción
5. administración

a substantivos en -nte:

1. estudiar
2. manifestar
3. visitar
4. ayudar
5. restaurar

C. Indicar sinónimos:

1. desear
2. gobierno municipal
3. visitar
4. decir
5. implorar

Antónimos:

1. tranquilidad
2. preguntar
3. destrucción
4. adulto
5. peor

D. Definir:

_____ manifestar

_____ calle

_____ alcalde

_____ parque

_____ pretensión

1. jefe del gobierno
2. vigilar
3. centro de recreo
4. expresión pública
5. avenida
6. edificio
7. deseo

E. Escribir en pretérito:

1. La manifestación tiene lugar en Alemania.
2. Muchos niños recorren la ciudad de Hamburgo.
3. Los niños se manifiestan por los parques públicos.
4. Van hasta el Ayuntamiento.
5. Los niños y los padres reclaman un acto positivo del alcalde.

F. Contestar cierta o falsa:

1. Hubo una manifestación de niños en Alemania.
2. Los niños tenían más de diez años.
3. Ellos querían parques donde jugar.
4. Fueron a un parque para hablar con el alcalde.
5. Reclamaron la construcción de más parques.

G. Responder:

1. ¿La manifestación que tuvo lugar era de niños o de adultos?
2. ¿Los niños tenían más o menos de diez años de edad?
3. ¿Querían parques nuevos o un alcalde nuevo?
4. ¿Hablaron al alcalde en la calle o en el Ayuntamiento?
5. ¿Reclamaron más o menos sitios para jugar?

H. Contestar/discutir:

1. ¿Dónde tuvo lugar la manifestación?
2. ¿Quiénes eran los manifestantes?
3. ¿Qué querían los niños?
4. ¿Con quién hablaron, y dónde?
5. ¿Qué le parecen las manifestaciones a Vd.? ¿Son válidas o no? ¿Por qué?

Clave

Derivado: negar – renegar – negativo
Cambio: z←→c: luz – elucidar
                d←→t: poder – potente – potencia
Gramática: -ndo = en progreso: destruir – destruyendo

TANQUE DE COMBATE
Un caso de emergencia

El miércoles pasado por la noche un soldado norteamericano de diecinueve años de edad *se apoderó (1)* de un carro de combate y a la máxima velocidad posible *emprendió una carrera (2)* por las calles céntricas de Mannheim, Alemania, destruyendo doce vehículos que encontró a su paso y causando *daños (3)* por valor de unos cuarenta mil dólares, según informa la policía.

Cinco coches de la policía militar norteamericana y uno de la federal con las luces y las sirenas a pleno funcionamiento, salieron en persecución del tanque, que consiguieron detener cuando estaba a punto de entrar en una autopista.

La policía ha arrestado al soldado pero se ha negado a revelar su nombre. Se ha iniciado una investigación para *elucidar (4)* si éste se encontraba bajo el efecto o de drogas o de alcohol.

Ya

1. se apoderó – es decir . . .
  a. pintó
  b. tomó posesión
  c. robó la gasolina
  d. quería vender

2. emprendió una carrera
  a. salió
  b. fue
  c. empezó a viajar
  d. a, b y c

3. daños
  a. beneficios
  b. destrucción
  c. servicios
  d. mejoramientos

4. elucidar
  a. determinar
  b. descubrir
  c. informarse
  d. a, b y c

5. ¿Qué se aprende en este artículo?
  a. Un soldado alemán robó un carro pero fue detenido por un tanque antes de causar mucha destrucción.
  b. Un policía norteamericano salvó la vida de un soldado que fue aprisionado por el mecanismo de un tanque.
  c. Un drogadicto en Alemania tomó posesión de un carro de combate y trató de destruir la capital del país.
  d. Un militar norteamericano hizo un viaje destructivo por un pueblo alemán en un carro de combate.

Indicar la dificultad: fácil----A   B   C   D   E----difícil
Indicar su interés en el tema: interesante----A   B   C   D   E----no interesante

EJERCICIOS

A. Completar de memoria:

1. sold __ do
2. ca __ __ o
3. c __ mbate
4. veh _́_ culos
5. v __ lor

6. policí __
7. __ ilitar
8. feder __ l
9. s __ rena
10. t __ nque

B. Cambiar a infinitivos:

1. se apoderó
2. emprendió
3. encontró
4. salieron
5. consiguieron

a substantivos:

1. combatir
2. dañar
3. valer
4. perseguir
5. investigar

a gerundios en -ndo:

1. destruir
2. causar
3. arrestar
4. negar
5. iniciar

C. Indicar sinónimos:

1. tomar posesión
2. destrucción
3. informarse
4. comenzar
5. arrestar

Antónimos:

1. día
2. mínimo
3. entrar
4. construir
5. terminar

D. Definir:

_____ miércoles
_____ soldado
_____ carro
_____ daño
_____ luz

1. iluminación
2. destrucción
3. robar
4. vehículo
5. militar
6. día de la semana
7. capturar

E. Indicar el órden correcto:

1. Los oficiales persiguieron el tanque por las calles.
2. Un soldado robó un vehículo militar.
3. La policía ha detenido al soldado.
4. El carro estaba a punto de entrar en una autopista.
5. Viajó por el centro de Mannheim causando mucha destrucción.

F. Contestar cierta o falsa:

1. Un soldado americano robó un tanque militar.
2. Viajó por una autopista alemana.
3. Causó daños por valor de cuatro mil dólares.
4. La policía persiguió al joven por las calles de la ciudad.
5. Hubo una investigación para determinar la causa de este acto destructivo.

G. Responder:

1. ¿Un soldado americano o alemán robó un tanque militar?
2. ¿El hombre condujo el tanque por una autopista o por las calles centrales de la ciudad?
3. ¿El acto causó daños de cuatro o de cuarenta mil dólares?
4. ¿La policía o los habitantes persiguieron al joven por las calles?
5. ¿Investigan los resultados o los motivos del acto?

H. Contestar/discutir:

1. ¿Quién tomó posesión de un tanque militar?
2. ¿Por dónde lo llevó?
3. ¿Quién lo persiguió?
4. ¿Cuál fue el resultado?
5. ¿Por qué roba coches la gente joven?

Clave

Derivado: ciencia – científico
explotar – explosión

Sufijo: -ncia = efecto: resistir – resistencia
aparecer – apariencia

Expansión: e ←→ ie: miembro
Antónimo: mismo ≠ diferente

UNA TEORIA SOBRE EL ORIGEN DE LOS PLANETAS
Dos momentos históricos

Un miembro de la Academia de Ciencias de la Unión Soviética *ha emitido (1)* una nueva teoría sobre el origen del sistema solar que, en su opinión, se ha formado en dos *etapas (2)*. Primero: el sol y los planetas Júpiter, Saturno, Urano, Neptuno, y Plutón aparecieron hace unos cinco mil millones de años. Al mismo tiempo, otro gigantesco planeta, al que el científico ruso denomina Olimpo, se formó *próximo (3)* al sol. Olimpo tenía unas dimensiones de 1.500 veces mayores que las de la Tierra. Debido a sus proporciones, su *corteza (4)* no pudo resistir la gran presión interior y el planeta explotó. Con la explosión comienza la segunda etapa en que parte de los restos de Olimpo cayó en el sol y parte sirvió para formar los planetas Tierra, Marte, Venus y Mercurio, la luna y muchos meteoritos.

Según el científico, existen sistemas planetarios análogos a nuestro sistema solar que han tenido la misma evolución. Estos sistemas pueden llegar a ser, o son ya, el origen de otras civilizaciones cósmicas.

Blanco y Negro

1. ha emitido
a. ha presentado
b. ha expresado
c. ha dado
d. a, b y c

2. etapas
a. orientaciones
b. períodos
c. direcciones
d. dimensiones

3. próximo al sol
a. cerca del sol
b. dentro del sol
c. lejos del sol
d. a distancia del sol

4. la corteza
a. la parte exterior
b. la superficie
c. contrario del interior
d. a, b y c

5. ¿Cuál es la nueva teoría que propone el científico?
a. El sistema solar fue formado próximo al sol en un solo momento.
b. Los planetas originales eran pequeños meteoritos de un gran sistema planetario.
c. Los primeros planetas en formarse fueron la Tierra, Marte, Venus, y Mercurio; luego se formaron los más grandes.
d. La atracción entre el sol y un planeta gigante resultó en la detonación de éste, fragmentos del cual se pusieron en órbita en forma de planetas pequeños.

Indicar la dificultad: fácil----A   B   C   D   E----difícil
Indicar su interés en el tema: interesante----A   B   C   D   E----no interesante

EJERCICIOS

A. Completar de memoria:

1. teor _´_ a
2. orig __ n
3. opini _´_ n
4. plan __ ta
5. mill _´_ n

6. cie __ cia
7. civili __ ación
8. ma __ or
9. pre __ ión
10. rest __

B. Cambiar a infinitivos:

1. emitido
2. formado
3. aparecido
4. debido
5. tenido

a substantivos:

1. opinar
2. aproximar
3. proporcionar
4. explotar
5. originar

C. Indicar sinónimos

1. idea
2. período
3. cerca
4. superficie
5. detonación

Antónimos:

1. lejos
2. exterior
3. pequeño
4. diferente
5. desaparecer

D. Definir:

_____ corteza

_____ resistir

_____ proporción

_____ análogo

_____ cosmos

1. no permitir
2. dimensión
3. ruso
4. explotar
5. superficie
6. lo mismo
7. universo

E. Escribir una lista de:

1. "Nombres de los planetas"
2. "Pretéritos (6) y sus infinitivos"

F. Contestar cierta o falsa:

1. Hay una nueva teoría sobre el origen de los planetas.
2. Se cree que el sistema solar fue creado en cuatro etapas.
3. Los planetas pequeños fueron formados de otros planetas más pequeños.
4. Cuando Olimpo explotó, se formaron los planetas pequeños.
5. Ningún otro sistema planetario ha evolucionado de la misma manera.

G. Responder:

1. ¿La teoría es nueva o es igual a las anteriores?
2. ¿Dice que el sistema solar se formó en dos o en cuatro etapas?
3. ¿Olimpo era gigantesco o pequeño?
4. ¿Los planetas grandes o los pequeños resultaron de la explosión?
5. ¿Otros sistemas planetarios han tenido el mismo origen o es único el nuestro?

H. Contestar:

1. ¿Cuál es el tema de este artículo?
2. ¿Cuándo se formó nuestro sistema solar?
3. ¿Qué es Olimpo?
4. ¿Cuáles planetas se formaron primero?
5. ¿A Vd. le gusta la astronomía?

SIGHT READINGS IN SPANISH: Book I

Appendix A: Categories of Interest

* page number

SIGHT READINGS IN SPANISH: Book I

Appendix B: Structure, content, length, and difficulty, by title

Title	Number of Words	Structure[1]	Difficulty	Page
El alcohol	76	pres, *se* pres, *puede* + -r, -do	6.4	20
Americanos	140	pres, *se* pres, -do, -ndo, *(le)*	7.5	50
Animal perdido	170	pres, *se* pres, *tiene que* + -r, -do, *h -do, (lo)*	8.4	124
Apartheid	125	pres, *se* pres, *debe* + -r, -do, *(lo)*	5.7	44
La astrología	152	pres, *se* pres, *trata de* + -r, -do	8.9	48
Casas pequeñas y neurosis	148	pres, *se* pres, *puede* + -r, -do	8.0	102
El cerebro	100	pres, *permite* + -r, -do, -ndo	7.5	32
La cirugía cosmética	84	pres, *se* pres, *puede* + -r, -do, -ndo, *h -do*	8.7	74
El clima	105	pres, *puede* + -r, *va a* + -r, -do	8.9	24
La comida del futuro	58	pres, *puede* + -r	9.0	12
Cómo reconocer a un guerrillero	114	pres, *se* pres, -do, *h -do, (los)*	8.6	86
Cómo vive el pueblo chino	146	pres, *se* pres, *debe* + -r, -do	9.1	46
Compra extraordinaria	64	pres, pret, imp, *(se lo)*	8.8	128
Contra el cáncer, el deporte	75	pres, *puede* + -r, -do	8.2	26
El crimen	104	pres, *se* pres, *quiere* + -r, *(nos, los)*	8.2	30
¿Cuándo llega la muerte?	105	pres, *se* pres, *puede* + -r	8.4	42
En defensa de un policía	93	*se* pres, *h -do*, pret, imp, *(le)*	8.8	132
Los delfines	69	pres, *se* pres, *puede* + -r, -do	7.1	16
El divorcio	37	pret, -do, *(lo)*	9.6	110
Los errores	53	pres, -ndo, *h -do*	7.8	72
Escorpión	71	pres, -do, pret, imp, *(se la)*	9.0	130
Los españoles y la siesta	125	pres, *se puede* + -r, -do, *h -do*, pret, *(lo), (les)*	8.6	122
Faith Healing	150	pres, -do, *h -do, (lo)*	8.0	92
El fumar causa sordera	107	pres, *puede* + -r, -do	9.2	38
El gorila	78	pres, *puede* + -r, -do	8.4	14
Hablamos dormidos	138	pres, *se* pres, -do, *al* + -r, *h -do, (nos)*	8.9	82
El infarto	176	pres, *se* pres, *hay que* + -r, -do, -ndo, *h -do*	8.5	98
La influencia hispánica	188	pres, *se* pres, *empieza a* + -r, *h -do*	8.3	106
Los inválidos	220	pres, *se* pres, *puede* + -r, *al* + -r, -do	7.4	68
"Mass Media"	175	pres, *se* pres, -do	8.8	56
Medalla de valor	53	-ndo, *h -do*, pret	8.0	112
La mujer que trabaja	203	pres, *se* pres, *tiene que* + -r, *(las)*	8.0	64
Niños y accidentes en el hogar	113	pres, *puede* + -r, -do	9.0	52
Otro efecto del tabaco	123	pres, *se* pres, -do, *h -do*	9.0	84
El Palacio Real	145	pres, *hay*	8.0	6
Parque zoológico	71	pres, *gusta*, -do	8.0	4

[1]

pres	any present tense form
se pres	*se* passive, reflexive
puede, debe + -r, *al* + -r	verbal phrase
va a + -r	future reference
-do	adjective
-ndo	gerund, progressive with *estar, seguir*
h -do	present perfect
pret	preterite, all forms
imp	imperfect, all forms
(le, les)	indirect objects
(lo, las)	direct objects

ACKNOWLEDGMENTS

The author and publisher wish to thank the following for kind permission to adapt and reprint material appearing in this book:

ABC de las Américas, Madrid:
"Raquel Welch," from **ABC de las Américas,** #1, viii, 28 de diciembre de 1972, pp. 60–66

ABC, Madrid:
"Otro efecto del tabaco," from **ABC,** #28, 27 de abril de 1973, p. 43

Blanco y Negro, Madrid:
"El tren," from **Blanco y Negro,** #3393, 11–17 de mayo de 1977, trascubierta
"La úlcera," from **Blanco y Negro,** #3317, 29 de noviembre de 1975, p. 99
"El gorila," from **Blanco y Negro,** #3164, 23 de octubre de 1972, p. 60
"Los delfines," from **Blanco y Negro,** #3090, 3 de abril de 1971, p. 73
"El Reader's Digest," from **Blanco y Negro,** #3084, 12 de junio de 1972, p. 73
"El alcohol," from **Blanco y Negro,** #3175, 10 de marzo de 1973, p. 53
"Vandalismo," from **Blanco y Negro,** #3166, 6 de enero de 1973, p. 64
"El clima," from **Blanco y Negro,** #3102, 16 de octubre de 1971, p. 93
"Contra el cáncer, el deporte," from **Blanco y Negro,** #3073, 27 de marzo de 1971, pp. 61–62
"El cerebro," from **Blanco y Negro,** #3171, 10 de febrero de 1973, pp. 39–40
"El ruido y la edad," from **Blanco y Negro,** #3106, 13 de noviembre de 1971, p. 85
"La vista," from **Blanco y Negro,** #3171, 10 de febrero de 1973, p. 54
"El fumar causa sordera," from **Blanco y Negro,** #3303, 23 de agosto de 1975, p. 71
"Viajes a Marte en 20 años," from **Blanco y Negro,** #3151, 10 de diciembre de 1971, p. 60
"¿Cuándo llega la muerte?" from **Blanco y Negro,** #3167, 13 de enero de 1973, p. 69
"Apartheid," from **Blanco y Negro,** #3365, 16 de octubre de 1976, p. 34
"Cómo vive el pueblo chino," from **Blanco y Negro,** #3094, 5 de junio de 1971, p. 78

"Mass Media," from **Blanco y Negro,** #3168, 20 de enero de 1973, p. 14
"Precaución," from **Blanco y Negro,** #3196, 4 de agosto de 1973, p. 83
"La cirugía cosmética," from **Blanco y Negro,** #3175, 10 de marzo de 1973, p. 6
"El ruido y el sistema circulatorio," from **Blanco y Negro,** #3108, 13 de noviembre de 1971, p. 84
"Smog," from **Blanco y Negro,** #3168, 20 de enero de 1973, p. 14
"Vitamina E," from **Blanco y Negro,** #3393, 11–17 de mayo de 1977, p. 78
"Hablamos dormidos," from **Blanco y Negro,** #3395, 25–31 de mayo de 1977, p. 78
"Cómo reconocer a un guerrillero," from **Blanco y Negro,** #3134, 23 de mayo de 1972, p. 77
"La técnica de la respiración," from **Blanco y Negro,** #3202, 15 de septiembre de 1973, p. 83
"El suicidio," from **Blanco y Negro,** #3188, 9 de junio de 1973, p. 64

"El infarto," from **Blanco y Negro**, #3372, 18 de diciembre de 1976, p. 68

"Casas pequeñas y neurosis," from **Blanco y Negro**, #3167, 13 de enero de 1973, p. 58

"Una "Robinson Crusoe" femenina," from **Blanco y Negro**, #3171, 5 de febrero de 1973, pp. 10–11.

"Truman," from **Blanco y Negro**, #3166, 6 de enero de 1973, p. 64

"El teléfono y el laser," from **Blanco y Negro**, #3190, 23 de junio de 1973, p. 66

"Los españoles y la siesta," from **Blanco y Negro**, #2990, 23 de agosto de 1969, p. 78

"Animal perdido," from **Blanco y Negro**, #3184, 12 de mayo de 1973, p. 70

"En defensa de un policía," from **Blanco y Negro**, #3078, 1 de mayo de 1971, p. 69

"Quieren sitios donde jugar," from **Blanco y Negro**, #3136, 10 de junio de 1972, p. 93

"Una teoría sobre el origen de los planetas," from **Blanco y Negro**, #3197, 11 de agosto de 1973, p. 74

US Department of Health, Education and Welfare, Washington, DC:
"Niños y accidentes en el hogar," from US Department of Health, Education and Welfare Publication No. (OHD) 74–61, p. 1

Informaciones, Madrid:
"Faith Healing," from **Informaciones**, No. 16.065, 28 de agosto de 1973, p. 28

La Luz, Clayton Missouri:
"El Palacio Real," from **La Luz**, #45, iv (1976), pp. 12–13
"La astrología," from **La Luz**, #46, vi (1977), p. 5
"La mujer que trabaja," from **La Luz**, #42, iii (1973), p. 6

Lazarillo and **Adelante**, Middletown, Connecticut:
"Compra extraordinaria," from **Lazarillo** and **Adelante**, septiembre-octubre de 1972, 4:1

Macmillan, Inc. New York:
"Americanos," from **A Structural Course in Spanish**, 1963, pp. 161–162

R. J. Reynolds Industries, Inc., Winston-Salem, NC:
"La influencia hispánica," from R. J. Reynolds Industries, Inc. poster "Famous Hispanic Americans"

Siempre, New Orleans:
"Parque zoológico," from **Siempre**, #5, 18 de enero de 1973, p. 5
"Los errores," from **Siempre**, #6, 25 de enero de 1973, p. 14
"El divorcio," from **Siempre**, #7, 1 de julio de 1973, p. 6
"Medalla de valor," from **Siempre**, #7, 1 de julio de 1973, p. 15

Ya, Madrid:
"La comida del futuro," from **Ya**, #10.969, 19 de septiembre de 1973, p. 6
"El crimen," from **Ya**, #10.956, 4 de septiembre de 1973, p. 6
"Escorpión," from **Ya**, #10.952, 30 de agosto de 1973, p. 11
"Tanque de combate," from **Ya**, #10.929, 3 de agosto de 1973, p. 28